Toptalent gezocht!

Toptalent gezocht!

Marlies Slegers

Nur 283/GGP021101

Omslagontwerp: Tamar de Klijn
Opmaak binnenwerk: Marieke Brakkee

www.kluitman.nl

Bij Koninklijke Beschikking
Hofleverancier

1

Het rook naar limonade en deodorant in de kleedkamer van hockeyvereniging Sterrenhout. Overal lagen sokken, scheenbeschermers, shirtjes, sticks, blikjes drinken, tassen, bitdoosjes en handdoeken. Hockeyteam de Sterren, zo noemden de meiden van M8D3 zichzelf, bereidde zich voor op de wedstrijd.

'...wordt vast een goede wedstrijd!'

'...die dure sportauto's gezien op de parkeerplaats? Is de koningin op bezoek of zo?'

'...ook gezien! Zelfs een Hummer en een Porsche!'

'...misschien wel van een team dat hier uit moet spelen.'

'...vanmiddag de stad in! ...nieuwe laarzen...'

'...zag je hoe ik hem vorige week langs de keeper schoot?! Ga ik nu weer proberen!'

'...ook X-Factor gezien gisteren?'

'...mag jij naar het hockeyfeest over twee weken?'

'...dat er een scout rondloopt...'

Plotseling werd het stil.

'Zei je nou dat er misschien een scout rondloopt, Flo?' Julia keek naar haar teamgenote.

Florine haalde een hand door haar haren en liep rood aan.

Alle meiden van M8D3 – Jasmijn, Sanne, Julia, Emma, Pip, Pleun, Daisy, Eva en Sofia – keken naar Florine van Senhoven.

'Een scout?!'

'Eh, ja... ik weet eigenlijk niet of iedereen dat wel mag weten...' Florine beet op haar onderlip.

'Hoezo? Waarom weet jij het dan wel?' vroeg Sofia.

Florine werd nog roder. 'Omdat mijn vader in het bestuur zit. Ik, eh... ik ving zoiets op thuis, gisteren. Eigenlijk mag het nog niet bekend worden, geloof ik...'

'Ja,' zei Julia en ze keek haar beste vriendin aan, 'dat kan wel wezen, maar je hebt A gezegd, dus moet je nu ook B zeggen. Anders had je je mond moeten houden.'

Iedereen mompelde instemmend.

'O jee...' Florine pufte even. Ze dempte haar stem en haar teamgenoten verdrongen zich om haar heen om het goed te kunnen horen. 'Oké, gisteravond moest ik nog even iets pakken beneden en toen hoorde ik mijn ouders erover praten. Dat er een scout in de regio aan het rondkijken is naar goede hockeytalenten. En dat het een enorme kans is om aan de top van de jeugdspelers te kunnen komen. Veel meer weet ik niet, eerlijk gezegd.'

'Komt die scout vandaag? En is het wel voor dit team?'

'Dat weet ik dus allemaal niet. Ik hoorde ze alleen nog zeggen dat ze het zeker niet aan mij zouden gaan vertellen. Dus ik denk dat niemand het mag weten.'

'Ja, maar wát voor scout dan? Is het van een andere club? Of om te kijken of je regionaal kunt gaan spelen?' Daisy speelde met haar bitje.

'Zoiets zal het wel zijn.' Pip trok haar kousen over haar scheenbeschermers. Anders kijkt hij niet rond in de regio.'

'Misschien is het voor de Olympische Spelen van 2018!' giechelde Emma.

'Em! Dat kan toch helemaal niet! Je moet eerst regionaal spelen en daarna landelijk en dan pas kun je misschien naar de Olympische Spelen.' Pleun keek geïrriteerd naar Emma.

'Nou ja, een meisje mag toch dromen...' grinnikte Emma.

'En komt die scout vandaag, Flo?'

Florine haalde haar schouders op. 'Geen idee. Ik weet niet eens of ze naar dit team komen kijken. Zo goed zijn wij nou ook weer niet...'

De meiden werden even stil.

'Nee, da's waar. We staan ergens in het midden.' Pip trok een gezicht.

'Maar het midden is niet onderaan,' zei Julia fel. 'Zo slecht zijn we helemaal niet! En een scout kan best ook bij ons komen kijken, hoor!'

'Ja, bij jou misschien...' knikte Eva. 'Jij bent supergoed. Als iemand van ons een kans maakt om door te breken ben jij het.'

Op dat moment werd er op de deur geklopt.

'Meiden? Zijn jullie allemaal netjes aangekleed? Kan ik binnenkomen?' Het was de stem van coach Simon.

'Wacht!' gilde Emma. Ze trok snel haar rokje aan. 'Ja!'

Coach Simon kwam de kleedkamer binnen. Hij keek naar de meiden, die nog steeds rondom Florine stonden. 'Ah! Ik zie dat jullie met elkaar de tactiek aan het bespreken zijn. Prima!'

'Eh... Simon?' Julia keek op. 'Is er iets bijzonders vandaag?'

'Hoe bedoel je?' Simon keek haar vragend aan.

'Nou, gewoon... is er vandaag iets anders dan anders? Misschien... andere toeschouwers of zo?'

'Juul, dat is een rare vraag waar ik niets mee kan. Nee, er is vandaag niets anders, behalve dat we nu gaan hockeyen en hopelijk gaan winnen!'

'Wie is de tegenstander ook alweer?'

'HC Waerdenburgh. Een nieuwe tegenstander voor jullie.'

'Waerdenburgh? Dat klinkt behoorlijk bekakt,' vond Florine. 'Volgens mij heb ik mijn zus Harriët wel eens over hen gehoord. Is dat niet die club met al die verwende nesten?'

'Tja,' lachte Simon, 'ze komen inderdaad uit een wijk waar veel rijke mensen wonen en ze staan bekend als eliteclub. Maar dat maakt niet uit, een tegenstander is een tegenstander. Ze zijn behoorlijk goed, dus meiden, we moeten er echt tegenaan. Kom, naar de kantine!'

'Daar zijn al die dure auto's op het parkeerterrein natuurlijk van,' fluisterde Julia tegen Florine. 'Nou, ik ben benieuwd...'

Julia liep met haar teamgenoten de kleedkamer uit en keek even naar haar moeder, die kantinedienst had. Ze was druk bezig het koffieapparaat te vullen en kletste ondertussen met een vader, die ook kantinedienst had. Sinds een paar maanden werkte Julia's moeder iedere zaterdag in de kantine van HC Sterrenhout en in ruil daarvoor konden Julia en haar zusje Vlinder gratis lid zijn van de club. Natuurlijk kreeg Julia's moeder ook gewoon betaald voor het kantinebeheer. Julia vond het erg leuk dat haar moeder nu zo vaak naar de wedstrijden kon komen kijken. Haar vader was altijd haar grootste fan geweest, maar die was anderhalf jaar geleden overleden. Daarom was het zo fijn dat mam nu in ieder geval wel altijd even kwam kijken bij haar thuiswedstrijden. Haar oudere broer Nick zat op voetballen, maar omdat hij wat ouder was, speelde hij inmiddels op zondagen en konden ze dus ook bij hem gaan kijken.

'Ja, hier is het dus wel,' hoorde ze opeens achter zich.

De meiden van M8D3 draaiden zich om. Achter hen kwam een stel meisjes binnen met hun coach. De meisjes waren gekleed in een groen-wit tenue en op hun shirts stond HC Waerdenburgh. De tegenstander dus, dacht Julia en ze grimaste even.

'Nou meisjes, laten we een tafeltje zoeken dat... schoon is.' De coach, een gezette vrouw in dure merkkleding, keek rond en rimpelde haar neus. 'Wat overigens nog niet mee gaat vallen, een schoon tafeltje zoeken...'

'O! My! God! Wat een dump... Ik wist niet dat hockey ook populair was in de achterstandswijken,' mompelde een van de meisjes. Ze zag eruit alsof ze net bij de kapper vandaan kwam.

Ook de andere meisjes stonden erbij alsof ze eerder een catwalk moesten betreden dan een hockeykantine.

Het gezelschap liep naar binnen, zonder acht te slaan op Julia en de andere speelsters. Florine keek verbijsterd naar de tegenstanders. Een paar meisjes hadden echte Gucci- en Dior-tassen aan hun arm hangen. Ze zag dat de meeste dure merksportkleding droegen.

'Dat zijn superdure hockeyschoenen! Die worden praktisch op maat gemaakt, een meisje in Harriëts team heeft ze ook,' fluisterde Florine tegen Julia. 'Die zijn zeker tweehonderdvijftig euro per paar!'

Julia haalde haar schouders op. 'Pffft. Het zal ze vast geen betere spelers maken.' Ze hield één voet omhoog. 'Deze zijn negenenvijftig euro. En daar kan ik zeker zo goed op rennen als zij op die kapitale schoenen daar!'

Coach Simon gebaarde dat de meiden moesten gaan zitten. 'Kom! We gaan ons concentreren op de wedstrijd. Nieuwe competitie, nieuwe kansen!'

HC Waerdenburgh was een nieuwe tegenstander dit seizoen, omdat de competitie door elkaar geschud was en alle teams andere tegenstanders kregen. Voor Julia's team waren alleen Greenfields en Push It nog over van de vorige competitie en daar waren HC Waerdenburgh en HC Yellow aan toegevoegd.

'We hebben net zo veel kansen als de andere teams om bovenaan te komen. Laten we onze tactiek bespreken. Emma, jij gaat in de eerste helft in het doel. Sinds je op keeperstraining zit, gaat dat al stukken beter! En Pip, jij gaat de tweede helft. Florine en Julia: voor. Sofia, jij bent midvoor. Eva, Sanne en Jasmijn gaan achter. Daisy, jij bent de eerste helft de voorstopper en Pleun, jij en Pip zijn de eerste helft wissels.'

Ze bespraken nog een poos de tactieken, totdat het tijd was om naar het veld te lopen en op te gaan warmen.

'Coach?' Sanne beet even op haar lip. 'Is er echt niets... bijzonders vandaag?'

Coach Simon keek de kring rond. 'Wat hebben jullie nou allemaal? Wat bedoelen jullie met 'is er iets bijzonders'?'

'Ach, niets. Laat maar.' Sanne stond op.

Florine wierp haar een boze blik toe. Verdorie, straks klapte er iemand uit de school en dan zouden haar ouders vreselijk boos zijn. Ze wenste dat ze nooit iets gezegd had over het gerucht dat er een scout kwam kijken.

'Tassen mee!' riep Simon.

De speelsters van HC Waerdenburgh waren ook juist opgestaan.

'Meisjes! Neem alles mee naar buiten, je weet nooit wat hier voor rare figuren rondlopen,' riep hun coach. Ze klapte in haar handen alsof ze een troep hondjes riep.

Een van de speelsters stootte haar teamgenoot aan. 'Ja, of dat de kantinejuf iets meeneemt. Mijn hemel zeg, wat ziet die er... ordinair uit!'

Juist op dat moment passeerde Julia met Emma en Pip. Julia ving de woorden op en haar gezicht begon te branden.

'Tja, ach, niet iedereen heeft genoeg geld om leuke kleding te kopen of naar de kapper te gaan. Mammie zegt dat je daar altijd beter medelijden mee kunt hebben, met DSM'tjes.'

Julia zoog lucht naar binnen.

'DSM'tjes? O! Ha ha,' lachte het andere meisje. 'Je bedoelt Dat Soort Mensen. Eugenie, je bent om te gillen!'

Ordinair?! Julia keek naar haar moeder, die haar lief toelachte. Tja, ze was niet gekleed in Dior. Maar daar gaf haar moeder ook niet om en ze hadden er uiteraard het geld niet voor. Maar ook als ze dat wel zouden hebben, zou haar moeder niet in dat soort belachelijk dure kleren rondlopen. En ze had uitgroei in haar haren, ze zou het misschien weer kunnen verven, zag Julia. Maar om haar moeder nou ordinair te noemen? Ze schuifelde achter Emma de kantine uit en keek haar moeder niet meer aan.

Op de een of andere manier wilde ze nu, terwijl alle meisjes van HC Waerdenburgh erbij stonden, niet naar haar moeder zwaaien.

Met een zwaar gevoel in haar maag liep ze naar de velden toe.

'Goed zo, Bellemijntje! Sla de bal erin, meisje. Geef er maar een flinke tik tegen!' De vader aan de zijlijn van het hockeyveld klonk alsof er een graatje vastzat in zijn keel.

Florine en Julia keken elkaar grijnzend aan.

'Bellemijntje?! Kom op, zeg,' zei Julia zacht tegen Florine. 'Wie verzint zo'n naam?'

Florine grinnikte. 'Iemand die zijn kind op HC Waerdenburgh doet. O! Opletten nu, de bal komt onze kant uit.' Florine rende naar voren en zette haar stick neer.

Een speelster van HC Waerdenburgh kwam aangerend met de bal. Ze keek naar haar overige teamgenoten en zag een meisje vrij staan. 'Annejet! Voor jou,' gilde ze en ze passte de bal naar Annejet.

Florine probeerde haar stick tussen de bal en de speelster die Annejet heette te zetten, maar de bal ging genadeloos langs haar heen.

'Eugenie! Voor jou!'

Eugenie ving de bal op en haalde fel uit naar het doel, waar Emma stond te keepen. Emma was kansloos tegen de snelheid waarmee de bal aangezeild kwam en de meiden van M8D3 van HC Sterrenhout moesten toezien hoe de tegenstander – opnieuw – scoorde.

'Yes! 3-1,' riep het meisje en ze keek even naar Florine, die dicht bij haar stond. 'Coach! Dit is toch wel een D-achttal, hè? Het lijkt wel een zestalletje, qua niveau,' zei Eugenie vals. Ze keek Florine uitdagend aan.

Oeh! Als het niet een afschuwelijke overtreding was, zou Florine de grijns van het gezicht van haar tegenstander er zo af kunnen slaan! Ze beet op haar lip en draaide zich om. Het was vanaf het begin al een vervelende wedstrijd geweest.

De scheidsrechter floot voor de rust. M8D3 liep terneergeslagen van het veld af, naar de plaats waar de coach stond te wachten met de ouders. Florines moeder pakte een bakje fruit en deelde dat rond.

Spelen in een achttal

Als je tien of elf jaar oud bent, kun je spelen in een achttal. Je speelt je wedstrijden dan op een half veld. In plaats van over de lengte te spelen, speel je over de breedte. Het doel is even groot als bij de elftallen en staat in het doelgebied. Met het doelgebied wordt de halve (hulp-)cirkel bedoeld die je vaak op het veld ziet. Een achttal heeft zeven veldspelers en één keeper. En hopelijk ook een paar wissels ofwel reservespelers, zodat je kunt wisselen. Een wedstrijd bij achttallen duurt twee maal dertig minuten, met daartussen een pauze van vijf minuten.

Sofia's vader sprak zijn dochter streng toe. 'Je moet gewoon feller zijn! Je laat je toch niet op je kop zitten door die meiden? Kom op, Sofia, je kunt beter dan dat! Laat zien wat je kunt.'

Sofia haalde haar schouders op.

Simon ging met zijn hand door zijn haren. 'Nou meiden, niet zo best. Als we nu al met zo'n achterstand de competitie in gaan, wordt het moeilijk om bovenaan te komen. Laten we eens nagaan wat er fout gaat. Pleun, je stick aan de grond blijven houden, je houdt hem soms zo hoog dat je te laat bent als de bal jouw kant op komt. En Florine, je mag best wat feller slaan. Verder moeten jullie niet te ver uit het doel komen rennen als zij een strafcorner nemen, je kunt beter wat meer één front blijven waar ze moeilijk door heen kunnen. Julia, meer een dreiging naar voren gaan vormen. Nou, laten we hopen dat de tweede helft een stuk beter gaat!'

Julia keek naar de zijkant en speurde snel alle toeschouwers af. Zou er een scout tussen staan? Ze tikte Florine aan. 'Heb jij al iemand gezien die op een scout lijkt?'

'Je bedoelt iemand met een shirt aan waarop in hele grote letters SCOUT staat? Nee.' Florine dempte haar stem zodat haar moeder, die nog langs de kant stond, haar niet kon horen. 'Maar weet jij hoe een scout eruitziet dan?'

'Nee... maar lijkt het je niet geweldig om gescout te worden? En om dan regionaal of zelfs landelijk te mogen gaan spelen? Ik kan me echt niets geweldigers voorstellen!' Julia keek dromerig naar het veld.

'Ja. Nee. Ik weet niet. Ik heb wel eens begrepen dat als je op zo'n hoog niveau wilt spelen, je praktisch al je tijd kwijt bent aan trainen. En er zijn ook andere leuke dingen in het leven.'

'Zoals?'

'Nou,' somde Florine op, 'vakantie, shoppen, televisie kijken, naar de film gaan, een boek lezen, met vriendinnen chillen.'

'Maar als je nou de kans kreeg om zo hoog te spelen, dan zou je die toch met beide handen aanpakken? Ik zou er alles voor overhebben!'

'Ja, jij wel, Julia Smit. Want jij bent al heel goed,' zei Florine en ze liep naar haar positie.

De scheidsrechter floot dat de wedstrijd hervat moest worden. Vanuit haar ooghoeken zag Julia haar moeder aan komen lopen. Dat deed ze vaker als Julia moest spelen: even pauze nemen om te komen kijken. Heerlijk, vond Julia altijd. Alleen vandaag niet. Ze dacht terug aan de opmerkingen van de meiden van Waerdenburgh.

'Joehoe, Juul!' riep haar moeder. Ze zwaaide.

Julia deed net of ze juist in gesprek was met Daisy en keek expres niet naar haar moeder. Ze rende het veld op.

'Tsss! Zelfs de kantinejuffrouw komt hier kijken,' zei een van de meisjes die ze passeerde.

'Ja joh, die heeft nog nooit zulke leuke speelsters gezien natuurlijk, ha ha! Die vergaapt zich aan ons,' lachte Eugenie.

Julia beet op haar lip. En zonder dat ze zichzelf kon stoppen, zwaaide ze nonchalant met haar stick, waardoor die tegen het been van de roodharige Eugenie aan kwam.

'Au! Kun je niet uit je ogen kijken?'

'O. Sorry,' zei Julia en ze liep onverstoorbaar door.

'Dat deed je expres!' Eugenie hinkte Julia achterna.

'Nee hoor. Als ik het expres had gedaan, zou je veel meer pijn hebben.'

'Wel! Je kunt het gewoon niet hebben dat wij winnen. Wat onsportief, zeg! Maar wat had ik eigenlijk verwacht van een team met zo weinig klasse...' schamperde het meisje en ze wreef met haar hand over haar been.

Er waren nog twee meisjes van HC Waerdenburgh bij komen staan, evenals Pip en Florine.

'Wat?! Hoe durf je te beweren dat wij geen klasse zouden hebben, opgedirkte poedel,' riep Julia boos uit.

'Kom nou toch. Ik bedoel maar, kijk eens om je heen. Jullie dragen kleding van de Zeeman of zo. En dan die kantinemuts, die...' Eugenie kwam niet verder.

Grommend stortte Julia zich op haar en gooide haar op de grond. Ze greep een bos haren en trok eraan. Om haar heen gilden de anderen dat ze moest stoppen. Maar dat kon ze niet. Woedend keek ze Eugenie aan, die met angstige ogen om hulp riep.

'Help! Help dan toch! Ze is gek geworden. Au, mijn haar!'

Opeens werd Julia van achteren ruw bij haar schouder gepakt en omhooggetrokken. Ze probeerde los te komen, maar coach Simon was te sterk voor haar.

'Julia! Waar ben je mee bezig?' riep hij kwaad. Hij had haar bovenarm stevig vast en dwong haar om hem aan te kijken.

De coach van de tegenstanders was er inmiddels ook bij komen staan en vanaf de zijlijn stonden de ouders te roepen.

'Och, hemellief,' zei de coach van Waerdenburgh. 'Wat een blamage! U zult uw spelers toch beter onder controle moeten houden,' zei ze boos. Ze trok de huilende en pruilende Eugenie van de grond. 'En ze wat zelfbeheersing en respect bijbrengen.'

'Respect?' brieste Julia woedend. 'Alsof die opgepimpte tutholа's respect hebben!'

'Juul!' riep Simon nu luid.

'Julia!' riep ook haar moeder, die erbij was komen staan.

'Jij gaat de rest van de wedstrijd op de bank en je biedt je excuses aan.'

De spelleiders waren er ook bij komen staan. 'Lukt het allemaal? Kunnen jullie het oplossen?'

'Jawel, ik schors Julia voor de rest van de wedstrijd.' Simons stem klonk vol ingehouden woede.

'Dat is niet eerlijk,' riep Julia nu. 'Zij begonnen!'

'Niet,' reageerde Eugenie. 'Ik deed niets! Jij begon met je stick zomaar op me in te slaan.'

'Goed. Julia, bied je excuses aan.' Simon gebaarde naar Julia. Alle blikken waren op haar gericht.

'Nee!' Julia sloeg haar armen demonstratief over elkaar heen. 'Geen haar op mijn hoofd. Die meiden hebben vanaf het begin niets anders gedaan dan het hier af te kraken.'

'Niets mee te maken, jij biedt je excuses aan.'

Julia schudde zwijgend haar hoofd.

Simon haalde diep adem. 'Goed. Dan hebben we het er na de wedstrijd nog wel over. Voor nu hervatten we het spel en jij kunt met je moeder mee naar de kantine. Sorry voor haar gedrag,' zei hij tegen Eugenie. 'Doet het nog pijn?'

'Het gaat wel,' antwoordde Eugenie. 'Ik zal misschien wat minder hard lopen, maar het gaat.'

'Meisje toch,' zei de coach van Eugenie. 'Ga jij maar even zitten, dan kun je over een kwartiertje weer meespelen.'

Florine legde een hand op Julia's schouder. 'Balen joh! Ik weet dat jij gelijk hebt...' zei ze. 'Maar ik kan niet veel voor je doen nu...'

'Jawel,' zei Julia verbeten. 'Scoren en ze verslaan, dat rotteam!' Daarna draaide ze zich om en liep met haar moeder weg.

'O my god! Dat is haar moeder?' hoorde Florine Eugenie fluisteren tegen haar vriendinnen. 'Geen wonder. Wat een stelletje hillbillies hier, zeg!'

2

Julia zat zwijgend op een barkruk, terwijl haar moeder koffie inschonk voor een ouder die aan de bar stond. Het was inmiddels wat drukker in de kantine, de radio stond aan en er klonk een gezellig geroezemoes.

'Waarom deed je dat nou?' vroeg mam. Ze ging even bij Julia staan.

Julia haalde haar schouders op. 'Ze zei allemaal stomme dingen.'

'Juul...' zuchtte haar moeder. 'Woorden doen geen pijn, weet je nog? Dat zei papa altijd, toen hij nog leefde. Klappen, schoppen, bijten: dat doet pijn. Woorden niet.'

'Woorden doen wel pijn, mam!' zei Julia boos.

'Oké. Misschien. Soms. Maar je mag ze niet beantwoorden met een gevecht. Ik weet niet wat ze allemaal zeiden...?'

'Van alles. Dat wij ordinair zijn en zo.'

Haar moeder knikte. 'Tja. Dat zegt meer over hen dan over jullie. Maar door te gaan vechten, liefje, gaf je ze nog een beetje gelijk ook.'

Julia staarde zwijgend naar de grond. Waar ze ook van baalde: misschien was die scout er wel geweest en had hij gezien hoe ze gevochten had en van het veld gestuurd was... Nou, dan maakte ze niet veel kans meer. Ze kreeg er buikpijn van.

'Trouwens, Juul...' Haar moeder zette een paar glazen weg. 'Vanavond wil ik het ergens met jullie over hebben. Ik heb een enorme verrassing!'

Een verrassing? Julia beet op haar lip. 'O. Kun je nu alvast iets zeggen? Please?'

'Nee,' lachte mam. 'Gewoon wachten tot vanavond!'

O jee... zou ze een vriend hebben?! Sinds de dood van haar vader was haar moeder nog nooit met een andere man uit geweest. Maar stel je voor dat ze nu toch een andere man had leren kennen en dat zoiets de verrassing was? Julia's buikpijn werd opeens veel erger...

Florine sloeg de bal hard over het kunstgras. Emma ving hem op voordat de tegenspeelster bij haar was en zwaaide de stick laag over de grond.

'Flats hem erin, Em!' riep Pip.

De bal knalde met een enorme vaart over het veld en Florine zag nog net hoe Eugenie snel de bal stopte met haar voet. Daarna riep ze: 'Shoot! Hij werd tegen mijn voet aan geschoten.'

'Shoot!' De spelleidster knikte en floot af.

'Ze zette haar voet er gewoon zelf voor,' riep Pleun verontwaardigd. 'Dat is een overtreding! Geen voordeel voor hen.'

'Strafcorner voor Waerdenburgh,' zei de spelleidster.

Een paar ouders aan de zijlijn protesteerden.

'Dat is niet eerlijk, scheids. Het was geen shoot, dat meisje zette haar voet bewust voor de bal! Dat is een overtreding. Ze stopte de bal met haar voet,' riep de vader van Daisy.

Maar de spelleidster was onverbiddelijk en Waerdenburgh mocht een strafcorner nemen.

Wat is een strafcorner?
Stel: iemand van je eigen team heeft een overtreding begaan en de tegenpartij krijgt een strafcorner. Dat is een vrije slag op minimaal 9,10 meter van de dichtstbijzijnde doelpaal. Van je eigen team mogen dan vijf spelers achter hun eigen doellijn gaan staan, maar wel op minstens vijf meter van de bal. De spelers van de tegenpartij staan buiten het doelgebied. Als de vrije bal gespeeld is, mogen beide teams weer in het doelgebied spelen.

Florine, Sanne, Daisy en Sofia gingen in het doel staan, bij Pip, die nu keepte. Florine hield haar ogen gefixeerd op de bal.

Het meisje dat eerder in het gevecht met Julia verwikkeld was geraakt, Eugenie, nam de bal. Ze keek over het veld heen, op zoek naar gaten in de verdediging en naar teamgenoten die vrij stonden. 'Solange!' riep ze en ze flatste de bal weg.

Solange nam hem aan. Florine, Sanne, Daisy en Sofia waren het doel al uit en probeerden de bal tegen te houden, maar Solange schoot met een enorme kracht de bal in het doel. 'Yes!' riep ze en ze rende het veld op. '4-3!'

De scheidsrechter floot het eindsignaal.

Florine gooide kwaad haar stick op de grond. Ze waren zo dicht bij gelijkspel geweest! Misschien, als Julia er niet uit gestuurd was, hadden ze zelfs kunnen winnen deze keer.

'Handen schudden,' maande Simon. 'Kom op, even iedereen een hand geven.'

Ze gaf een slap handje aan de tegenstanders. Toen ze bij Eugenie kwam, siste die: 'We lusten jullie rauw bij de return!'

Florine keek hen walgend aan. Ze had nog nooit minder leuke tegenstanders gehad. Als laatste gaf ze Solange een hand.

'Goed gespeeld, hoor,' zei het meisje dat tegenover haar stond. 'Best een pittige partij. Enne... laat je niet te veel opjutten door hen. Zij hebben het redelijk hoog in hun bol.' Ze knipoogde en liep verder.

Florine keek haar na. Dat meisje leek wel de enige normale speelster bij Waerdenburgh. Ze pakte haar stick op en liep weg.

In de kantine was het steeds drukker geworden. Er stonden grote kannen ranja en een heleboel bekers op de bar. Ieder team pakte een kan en zocht een plekje.

Julia was nergens te bekennen, zag Florine. Ze liep naar de bar toe. 'Hai.'

De moeder van Julia keek op van de kassa. 'Hé, Floortje! Gewonnen?'

'Nah. Verloren... Waar is Juul?'

'Die staat in de keuken, ze mag broodjes maken. Ik denk dat het beter is dat ze zich even gedeisd houdt totdat die snobs weg zijn. Voordat er weer ruzie ontstaat...'

'Oké. Als we klaar zijn met de nabespreking, mag ik dan ook even in de keuken helpen?' Florine deed haar bitje in het doosje.

'Is goed!'

Florine liep terug naar de tafel waar de rest van haar team zat.

'Goed gespeeld, meiden,' zei Simon. 'Jammer van die laatste shoot, maar...'

'Dat was niet eerlijk! Dat was geen echte shoot.' Pip keek beteuterd.

'Nee, dat was vals spel. Dat grietje stopte gewoon bewust de bal met haar voet,' zei Pleun kwaad.

'Tja, soms kan een scheidsrechter niet alles zien. Het doet er ook niet meer toe, jullie hebben gewoon goed gespeeld. Jammer van die vechtpartij en...'

'Daar kon Julia echt niets aan doen, hoor,' zei Florine fel. 'Die meiden van HC Waerdeloos waren zo ontzettend gemeen!'

'Ha ha! Da's een goeie,' kwam Daisy ertussen. 'HC Waerdeloos! Die houden we erin.'

'Kan wel zijn, Florine,' zei Simon streng, 'maar vechten op een sportveld kan niet. Ja, een sportief gevecht, maar niet een ordinaire vechtpartij. Ook niet als het uitgelokt is en ik ben wel enigszins geneigd je daarin te geloven, want dan nog had Julia zich in moeten houden. Trouwens, volgende week moet het elftal B1 thuis spelen en wij zijn geselecteerd als ballenteam.'

'Gaaf!' vond Pleun.

Ballenteam zijn hield in dat je aan de lijn stond en alle ballen opving die uit gingen. Daarbij kreeg je gratis drinken en een bon voor gratis eten. En het was altijd enorm gezellig, omdat de B1 en de A1 erg veel publiek trokken.

'Ja, leuk,' knikte Sanne.

'Ik kan niet,' zei Emma. 'Ik moet naar mijn oma's verjaardag.'

'Maakt niet uit, als we er maar met minstens zes spelers kunnen zijn.' Simon stapelde de bekers op elkaar.

Op dat moment kwam het team van de tegenstanders langs met hun coach en de ouders die mee waren gekomen. Ze liepen naar de uitgang.

'Tot de volgende keer! Dag dag,' zei de coach van HC Waerdenburgh tegen Simon.

'Eindelijk...' zei Eugenie zacht, maar net luid genoeg dat Florine het kon horen. 'Weg uit deze dump. Pappie zegt dat ik thuis goed moet douchen, al die viezigheid van hier eraf spoelen!'

'Misschien zegt hij het wel omdat je stinkt,' flapte Florine eruit.

'Oeh!' Eugenie keek haar kwaad aan, maar Solange duwde haar verder.

'Genoeg voor vandaag, Eug, we gaan. Doei!' zei ze en ze zwaaide even naar de meisjes van M8D3.

Simon gebaarde naar de meiden. 'Is Julia er ook nog? Ik heb nog een mededeling voor jullie.'

Florine wees naar de keuken. 'Ik haal haar wel even.'

Een paar seconden later stond iedereen rondom Simon.

'Oké, mededeling. Ik heb zo'n vermoeden,' hij knipoogde even, 'dat er al wat geruchten waren. Volgende week zal er een scout komen kijken en...' Veel verder kwam hij niet.

Iedereen begon opgewonden door elkaar te praten.

'...waarvoor dan?'

'Is het voor de regionale teams?'

'En komt hij ook bij ons kijken?'

'O jee! Dan moeten we wel enorm ons best doen.'

'Ho ho!' Simon gebaarde met zijn handen dat ze even stil moesten zijn. 'Jullie zijn net een stel kakelende kippen. Ik weet niet zo heel veel. Alleen dus dat er een coach komt kijken van de YSTA.'

'De watte? De ista?' Emma keek hem vragend aan.

'Young Sports Talent Academy. Ssst, luister nu even allemaal. YSTA is iets nieuws, ze beginnen net. De YSTA zoekt en scout jonge sporttalenten. Dat doen ze op allerlei sportgebieden.

Voetbal, tennis, zwemmen, enzovoorts. Het werkt wel anders dan regionale teams. Als je voor de regio gescout wordt, moet je vaak in een heel andere stad gaan trainen. Dat kan niet iedereen: niet iedereen heeft vervoer en het kost veel tijd. Daardoor haken jonge talenten toch vaak af. Hun ouders willen niet iedere week op en neer rijden naar een andere stad, of school lijdt eronder. Daardoor blijft veel talent onontwikkeld. En dat is erg jammer, want we willen toch ook internationaal bij de top blijven horen!' Simon nam een slok water tussendoor.

Julia keek even naar Florine. Dus toch een scout... Stel je voor dat ze gescout werd! Zou ze enige kans maken?

Simon ging door. 'De YSTA zet een soort trainingsprogramma's op in je eigen stad. Daardoor is de kans groter dat getalenteerde kinderen er ook echt bij blijven. Bovendien vinden de trainingen plaats naast je gewone training op je eigen club en zijn het gemengde trainingen.'

'Gemengde training? Daarmee bedoel je toch niet dat je ook met zwemmers traint of zo?' Sofia grijnsde.

'Nee, maar wel dat jongens en meisjes door elkaar trainen en van elkaar leren. En je wordt mede gecoacht door een topper uit de sportwereld.'

Julia had haar adem ingehouden en blies nu langzaam uit. Dit wilde ze. Geselecteerd worden door die YSTA. Training krijgen van een topper. 'En kost dat extra geld?' vroeg ze nu.

Simon haalde zijn schouders op. 'Dat weet ik allemaal niet. Maar ze komen in ieder geval naar alle achttallen en eerstejaars elftallen in de regio kijken en wij zijn volgende week aan de beurt, dacht ik. Nou, dat was het. Lekker naar huis en douchen en ik zie jullie woensdag bij de training. Fijn weekend nog!'

3

Julia's moeder plofte neer op de keukenstoel. 'Poeh! Wat een dag. Er kwamen vanmiddag teams uit de hele regio naar de club en het was echt belachelijk druk in de kantine. Maar wel een goede omzet gehaald en het was erg gezellig. Nu lust ik wel een wijntje.' Ze nam een slokje van haar wijn en keek Julia nauwlettend aan. 'Wat was dat nou precies vanochtend? Met die meisjes tegen wie jullie moesten spelen?'

Julia zuchtte geïrriteerd. 'Dat waren zulke verwende krengen, mam. Echt, ze zeiden allerlei stomme dingen over ons en... over jou...'

'O?' Haar moeder trok een wenkbrauw op. 'Vertel.'

Maar Julia schudde haar hoofd. Hoe kon ze nou tegen haar moeder zeggen dat de meisjes haar vanochtend ordinair en goedkoop hadden genoemd? 'Nee, het was te erg, mama.'

'Je hoeft het niet te vertellen. Maar weet je, het zegt meer over hen dan over jou of mij.'

'Nou, het waren in elk geval echt belachelijk... nuffige hockeymeisjes!' Julia keek naar haar moeder. Vanuit de woonkamer hoorde ze het geluid van de televisie, waar haar jongere zusje Vlinder naar zat te kijken. Nick, haar oudere broer, was boven om zich om te kleden na zijn voetbaltraining.

'Goed, ik wacht even tot Nick klaar is met omkleden en dan: tadááá!' Mam roffelde met haar handen op de tafel en keek Julia vrolijk aan. 'De verrassing!'

O ja! Julia beet even op een nagel en keek naar haar moeder. Die zag er erg opgewonden en vrolijk uit. Als het maar niet om een andere man gaat... De gedachte dat hier aan tafel een andere man dan papa zou zitten, maakte Julia misselijk.

Nick kwam fluitend de trap af en liep de keuken in.

Mam trok een stoel van onder de tafel. 'Ga lekker zitten. Vlinder, schat, kom je ook? Ik heb een leuke verrassing!'

Vlinder kwam de keuken binnen gerend. 'IJsjes?'

'Nee, geen ijsjes. Iets veel beters.'

'Taartjes dan,' zei Vlinder. 'Taartjes zijn beter dan ijsjes!'

'Ook niet.' Mam lachte en keek de tafel rond. 'Ik vind het zelf zo ontzettend leuk. Goed.' Ze haalde diep adem. 'Nadat papa... na zijn overlijden...'

Zie je nu wel, dacht Julia, het gaat om een man. Ze beet op haar lip om het trillen ervan tegen te gaan.

'...nou ja, onze financiële situatie was niet al te best. En daardoor konden we niet echt op vakantie, de afgelopen twee jaar. Ik weet dat jullie dat jammer vonden. Al jullie vrienden gingen wel op vakantie en wij bleven thuis en hadden alleen wat daguitjes.'

Hé, het ging niet over een man. Het ging over vakanties! Julia rechtte haar rug. Misschien dat ze deze zomer wel weer eens weg konden gaan!

Mam grijnsde en vervolgde: 'Het zit namelijk zo, ik heb een reis gewonnen!'

'Hè? Gaaf! Waarheen? Mogen wij mee?' Nick keek mam lachend aan.

'We – ja, wij allemaal! – gaan naar Disneyland Parijs! Ik heb met een puzzel meegedaan, je weet wel, zo'n puzzel uit de krant, een poos geleden al hoor, maar nu heb ik gewonnen! Een lang weekend Disneyland voor vier personen inclusief hotelovernachtingen.'

Julia hapte naar adem. 'Dis...Disneyland? In Parijs?'

Vlinder sprong op en begon hard te juichen. 'Dat is beter dan taartjes én ijsjes tegelijk. Yeah! Joepie!'

Nick grijnsde breeduit. 'Wauw! Cool, mam. Wat ontzettend goed van je. Dit is echt super, ik ga het gelijk op MSN zetten!'

'Disneyland? Parijs?' herhaalde Julia. Een enorme golf van warme blijdschap spoelde door haar lijf.

'Ja. En het mooiste is: we gaan komend weekend al.'

'Jahaaa,' gilde Vlinder. 'Ik ga mijn koffer pakken!' Ze rende de keuken uit.

Nick liep naar mam toe en zoende haar op haar wang. 'Geweldig, mama. Echt, zo gaaf. Ik kan niet wachten. Wanneer vertrekken we precies?'

'Vrijdagavond. Met de hogesnelheidstrein, dus we zijn er zo.' Mam knipperde even met haar ogen. 'Hè...' Haar stem bibberde. 'Ik vind het zelf ook zo ontzettend fijn. Eindelijk weer eens iets heel leuks met elkaar. En weet je, met die twee baantjes die ik heb, denk ik dat we deze zomer misschien wel naar de camping in Frankrijk kunnen. Maar eerst Disney!'

Julia keek naar haar moeder, die enorm gelukkig leek. Haar

eigen glimlach lag bevroren op haar gezicht. Komend weekend naar Disneyland. Ze slikte.

Komend weekend zou ook de scout van de YSTA komen...

Er zoemde een bij om Florines hoofd. Ze lag in de tuin op het gras, samen met Harriët, en keek hoe haar vader met een verhit hoofd over de barbecue gebogen stond. Florine wapperde de bij weg met haar hand, ging verliggen en legde haar hoofd op Harriëts buik.

Haar zus krulde een haarlok van Florine om haar vinger.

'Hoe was het feest, gisteren?' vroeg Florine.

Harriët had de avond daarvoor een AB-hockeyfeest gehad. 'Super. Echt zo gaaf! We hebben de hele tijd gedanst en de dj was echt geweldig. O, en weet je wat er gebeurde? Koen, je weet wel, die uit de B2? Die heeft staan zoenen met Esmee uit de B3...'

'Nou en?' Florine beet op een grasprietje.

'Nou, hij heeft – pardon, had – verkering met Suzanne uit de A2.' Harriët trok een gezicht. 'Arme Suus. Wat een eikel, zeg.'

'Hoe was jouw wedstrijd vandaag?' Florine draaide haar gezicht even omhoog naar haar zus.

'Verloren. Met 6-7. Jammer, maar ze waren wel erg goed en wij hadden veel zieken. Janine en Erika waren er niet. Deidre was eigenlijk nog geblesseerd, maar speelde wel mee. Al met al waren we niet zo sterk vandaag, maar we staan nog wel bovenaan.'

'Ik mag trouwens ballenmeisje zijn bij jullie, volgend weekend,' zei Florine.

'Cool.'

'Har, ken jij HC Waerdenburgh?'

Harriët begon te grinniken. 'Nou en of! De designmeiden van HC Waerdenburgh... lang geleden dat wij tegen ze gespeeld hebben. Daar moest je gisteren toch tegen?'

'Ja,' zei Florine. 'Wat een waardeloze meiden, zeg. Ze waren echt zo stom en onaardig. Julia heeft er een geslagen...'

Harriët begon te lachen. 'Ha! Goed voor Julia. Laat me raden, ze zeiden allemaal onaardige dingen over iedereen? En Julia kon daar niet goed tegen?'

'Ja! Precies,' zei Florine.

'Joh, die meiden hebben altijd met iedereen ruzie. Dat is volgens mij een eis als je bij Waerdenburgh gaat spelen, dat je goed ruzie kunt maken, ha ha. Zeg, pap?' Harriët richtte zich een beetje op. 'Gaat het lukken of wordt het toch afhaalchinees denk je?'

'Grappig, Harriët,' zei hun vader met een rood hoofd. 'Erg grappig.'

Niet veel later zaten ze rond de tafel. Florine pakte nog een stukje geroosterde kip.

'Nou Flootje, dat wordt deze week iedere avond vroeg naar bed en gezond eten!' Pap schepte nog wat salade op.

'Huh? Hoezo?' Florine keek hem niet-begrijpend aan.

'Vanwege de scout van de YSTA natuurlijk, volgend weekend.' Pap glunderde.

'O, dat.'

'Hoezo, o dat? Dit is een geweldige kans, meisje, en die moet je grijpen. Als een echte Van Senhoven ben je dat wel verplicht natuurlijk.'

Florine kauwde op een stukje stokbrood. Verplicht? Aan wie eigenlijk? Dat pap haar het liefst in Oranje zou willen zien, betekende nog niet dat zij dat ook wilde. Ze haalde haar schouders op.

'Kom op Florine, het is wel een goede kans natuurlijk,' zei mam. 'Begeleid worden door een echte hockeyer op topniveau... Zelfs jij moet dat leuk vinden.'

Florine kreeg een diepe denkrimpel. 'Misschien. Maar zo goed ben ik niet en ik weet ook niet goed of ik wel extra avonden wil trainen, hoor. Het is al best druk zo, met school en hockey en ik wil ook nog tijd om af te spreken met vriendinnen...'

Pap zette zijn glas met een klap op tafel. 'Verdorie Flo, ik zou willen dat je nou eens voor één keer een beetje meer ambitie toonde. Als je echt je best zou doen, zou je zomaar gescout kunnen worden.'

Florine zuchtte. 'Ik zie wel, oké? Het is pas zaterdag. En trouwens, als er al iemand uit ons team gekozen wordt, is het vast Juul. Die is gewoon de beste.'

'Julia,' begon haar vader, 'is misschien wel een goede speler, maar ze is nog steeds té individualistisch. Kijk nou naar wat er gisteren gebeurd is, die ordinaire vechtpartij met dat andere meisje. Dat kan alleen maar Julia overkomen.'

'Pap! Dat is flauw. Jij weet helemaal niet waarom Julia ruzie met dat meisje kreeg. Dus kun je er ook niets over zeggen. Toevallig schold dat meisje Julia's moeder uit. Nou, dat zou ik ook niet pikken.'

Mam glimlachte even vertederd. 'Tja. Ach, laten we deze barbecue niet laten verpesten door geruzie, jongens. Kom, wie wil er nog een stokje saté?'

'Mam?' Julia stak haar hoofd om de deur van haar moeders slaapkamer. 'Heb je even?'

Mam lag in bed televisie te kijken en wenkte dat Julia erbij moest komen zitten. 'Tuurlijk, meisje. Wat is er?' Ze zette het geluid van het praatprogramma zachter.

Het was zondagavond. Sinds mam de verrassing gisteren bekend had gemaakt, had Julia het er nog niet met haar moeder over gehad dat dan ook de scout zou komen.

'Nou...' Julia kroop onder het dekbed aan haar vaders kant. Het wende op de een of andere manier nooit dat die plek altijd leeg bleef. Mam had geprobeerd in het midden van het bed te gaan slapen, maar was toch weer op haar eigen helft beland. Ze hadden uiteindelijk wat sierkussens op papa's helft gelegd, zodat het niet zo overduidelijk een leeg bed was.

'Ik weet niet of ik je al verteld had van de scout van de YSTA?'

Mam schudde haar hoofd. 'Nee, daar heb ik je nog niet over gehoord. De scouting zeg je?'

Julia grinnikte. 'Nee mam, niet de scouting, ha ha! Een scout, iemand die talenten zoekt. In dit geval hockeytalenten. Voor de YSTA en dat staat voor...' Ze vertelde mam alles over de YSTA, alles wat ze van Simon had gehoord.

'Dat is een mooie kans,' reageerde haar moeder. 'Tenminste, als je er niets extra's voor hoeft te betalen en zo. Want dat zou echt niet kunnen. We houden eindelijk iedere maand eens wat over om apart te zetten voor een vakantie en dat soort extraatjes. Als ik dat nou weer uit moet geven aan de hockey, dan kan dat niet meer.'

'Ja, maar ik ben nog niet geselecteerd, hoor.' Julia schraapte haar keel. 'Maar ik zou het wel heel graag willen. Ik zou erg graag ooit profhockeyer willen zijn, mama. Ik denk dat ik dat kan.'

Mam glimlachte en aaide Julia door haar haren. 'Misschien wel. Ik heb daar niet genoeg inzicht in, hoe goed jij bent. Maar ik zie wel dat je binnen je team een van de beteren bent. Leuk! En wanneer komt die scout dan?'

Julia haalde diep adem. 'Nou, dat is dus een beetje een probleem... zaterdag.'

Het bleef even stil.

'O. Maar dan zitten we in Disneyland.'

'Ja. Precies.' Julia zuchtte. 'En ik wil het allebei zo graag... Ik wil helemaal niet ondankbaar lijken, mam, maar... zouden we niet een andere keer naar Disneyland kunnen?' Julia hield even haar adem in en keek haar moeder aan.

Die fronste haar wenkbrauwen. 'Nou... nee. Ten eerste verheugen we ons er allemaal al op en het is onze eerste vakantie in twee jaar tijd. Die ga ik niet op het laatste moment verzetten voor een hockeywedstrijd.'

Julia liet haar schouders zakken.

'Ten tweede ligt alles al vast, dat is geregeld door de krant waar ik de prijs gewonnen heb,' vervolgde mam. 'En ten derde, als je echt zo goed bent, hangt dat toch niet van één wedstrijd af? Simon kan ook aan die scout vertellen hoe goed je bent.'

'Zo werkt het niet!' Ongemerkt klonk Julia's stem wat schriller. Hè, verdorie. Ze wilde er helemaal geen ruzie over maken. Maar ze vond het zo oneerlijk dat die twee dingen, scout en Disney, in hetzelfde weekend vielen.

Mam ging wat rechter zitten. 'Sorry Juul, ik kan er weinig aan veranderen. Ik snap best dat het vervelend is dat het in hetzelfde weekend valt, maar dat is dan maar zo. Hè, ik had me zo ontzettend verheugd op dat weekend en nou wordt het een beetje verpest. Als je maar niet de hele tijd in Parijs gaat lopen piepen over die wedstrijd die je gemist hebt, want dan blijf je maar thuis.'

Julia staarde naar het patroon van roosjes op het dekbed. Ze slikte de brok in haar keel weg. 'Ik ga slapen,' mompelde ze en ze stond op. 'Welterusten.'

'Ja, welterusten.' Mams stem klonk gepikeerd.

Julia liet zich op haar eigen bed vallen en verborg haar gezicht in haar kussen. Haar keel brandde.

Zo'n scout selecteerde je alleen maar als hij je echt zag spelen. En wat nou als achteraf zou blijken dat ze gewoon geselecteerd

Selectie

Als je erg veel talent hebt, kan een coach je opgeven voor de selectiedagen. Je gaat dan spelen om geselecteerd te worden voor een districtsteam (er zijn in ons land zes districten). Als je geselecteerd bent voor een districtsteam, zijn er ook nog eens eenmaal per jaar districtsdagen. Daar komen bondscoaches en bondstrainers kijken en als ze je erg goed vinden, kunnen ze je, vanaf je achttiende, uitnodigen om in Jong Oranje te komen spelen. Je gaat dan echt op Europees niveau spelen en doet ook mee aan wereldkampioenschappen.

was geweest als ze er wel bij was? En dat ze, doordat ze naar Disney ging, niet meer geselecteerd kon worden? Ze staarde nog lang naar het plafond.

'Ja, dat is wel balen voor je. Of niet, het is maar hoe je het bekijkt natuurlijk,' zei Florine op het schoolplein. 'Ik zou supergraag naar Disneyland willen, maar mijn ouders vinden zo'n pretpark helemaal niets. Ik denk dat ik er pas kom als ik het zelf kan betalen... Dus ik zou het wel weten, hoor. Gewoon heerlijk genieten bij Mickey en Minnie!'

Julia beet in haar appel en staarde naar de grond. 'Dat is makkelijker gezegd dan gedaan. Natuurlijk is het geweldig dat we gaan, maar Flo, ik wil zo ontzettend graag een van de besten zijn in hockey. En dit is echt een kans!'

Florine haalde haar schouders op. 'Wat wil je dan doen? Zeggen dat je ziek bent of zo en niet meegaan naar Disney? Stom, hoor. Ik zou wel willen ruilen... Ik moet al iedere dag op tijd naar bed omdat pap wil dat ik fit ben morgen...' Ze trok een boos gezicht. 'Natuurlijk zou ik het ook leuk vinden om geselecteerd te worden, maar dat gepush van mijn ouders, daar word ik soms helemaal gek van!'

'Ze bedoelen het vast goed.' Julia zuchtte. 'Nou, ik ga na school mijn tas maar pakken. De trein vertrekt vanavond al. Het is zo'n hogesnelheidstrein, daarmee schijn je binnen drie uur bij Disneyland te zijn. Dat is wel cool eigenlijk.'

'En jullie blijven tot zondagavond? Wauw!'

'Ja, we hebben blijkbaar ook een heel leuk hotel. Met een ontbijtbuffet en zo. En weet je wat wel fijn is? Ik kan ook op internet daar! Dus kom je zaterdagavond even op MSN? Om een uur of half zeven of zo? Dan kan ik van je horen hoe de wedstrijd ging, oké? En wie er gescout zijn.'

Florine knikte. 'Is goed. Joh, er zijn vast nog wel meer wedstrijden waarbij die scout komt kijken. Ben je trouwens al afgemeld?'

'Ja, mam heeft Simon gemaild. Hij mailde terug dat het wel heel erg jammer is dat ik niet bij de wedstrijd ben.' Julia zuchtte. 'O, ik mis trouwens ook de wedstrijd van je zus. Als ballenmeisje.'

'Nou, dat is al helemaal niet erg! Een beetje ballen rapen voor andere spelers... Wist je trouwens dat je, als je tweedejaars elftallen bent, ook moet scheidsrechteren? Moet je een cursus voor volgen. En dan mag je scheidsrechteren bij de benjamins en de zes- en achttallen. Lijkt me wel grappig.' Ze deed alsof ze floot en zwaaide wild met haar armen. 'Uit! Ik zei toch dat ie uit was! Shoot. Shoot!'

Julia lachte.

'Hè, eindelijk.' Florine haakte haar arm door die van Julia. 'Ik dacht dat je nooit meer zou lachen. In Disneyland moet je verplicht lachen, hoor. En ik wil van alles weten hoe het was!'

4

'Ik slaap lekker in dit bed!' Nick gooide zijn tas op het bed bij het raam in de super-de-luxe hotelkamer.

Julia legde haar tas op het andere bed. 'Best. Maar dan mag ik zondag op de terugweg bij het raam in de trein.'

Ze waren net aangekomen in het hotel. De treinreis was supersnel gegaan; voor ze het wisten, waren ze Nederland uit, België door en aangekomen in Frankrijk. Daarna waren ze met een busje naar het hotel gebracht, dat praktisch in het pretpark zelf lag. Julia had tijdens de heenreis vooral voor zich uit getuurd, totdat mam haar bij haar kin had vastgepakt.

'Juul. Ik weet dat je baalt, maar doe me een lol en probeer gewoon te genieten. Het is voor ons niet leuk als jij het hele weekend met een gezicht als een oorwurm loopt. Dit is vooral gewoon heel erg leuk en geweldig, dat we naar Disneyland gaan, en ik wil niet dat je de hele tijd loopt te piekeren over dat scoutinggedoe...'

'Scout. Geen scouting.' Julia keek uit het raam naar het landschap waaraan ze voorbijraasden.

'Goed dame, we spreken af dat je mag pruilen zolang we in de trein zitten. Zodra we uitstappen in Disney is het klaar. Begrepen? Je gedraagt je als een verwend kind en dat bevalt me niet.'

Nick keek Julia aan. 'Ja Juul, kom op zeg. Je doet net of je nou nooit meer uit de achttallen kunt komen...'

'Mam! Zeg dat Nick zich er niet mee mag bemoeien.'

'Inderdaad, Nick, bemoei je er niet mee. Julia, hij heeft wel gelijk, het is niet het einde van de wereld. En nu ben ik er klaar mee!'

Julia had de rest van de reis voor zich uit gestaard. Haar moeder had gelijk. Het was niet het einde van de wereld en ergens schaamde ze zich dat ze zo stom deed. Ze wilde niemands plezier bederven en trouwens, het was natuurlijk wel erg cool om naar Disney te gaan! De hele klas was stinkend jaloers op haar geweest. En zij zat hier een beetje te sippen. Ze haalde diep adem.

Net voor de trein het station van Marne-La-Vallée bij Disneyland in reed, leunde ze voorover naar haar moeder. 'Sorry,' zei ze. 'Natuurlijk heb ik er zin in! Het wordt gewoon een superleuk weekend, mam.'

De hele zaterdag liepen ze door het pretpark. Julia durfde overal in, behalve in de Indiana Jones-attractie. Dat deed Nick maar alleen. Samen met hem gilde ze het uit van plezier in de Space Mountain: Mission 2, met Vlinder roetsjte ze door Crush's Coaster en ze vergaapten zich aan alle prachtige parades en shows. Mam genoot ook zichtbaar van alles. In de achtbaan van Blue Thunder Mountain gingen ze drie keer, omdat ze die allemaal het leukst vonden. Vlinder rende steeds van de ene attractie naar de andere en Julia moest lachen om de verrukte uitdrukking die haar zusje de hele dag op haar gezicht hield.

Tegen zes uur zei mam dat ze wel even met haar voeten omhoog wilde, voordat ze 's avonds uit eten zouden gaan in de Disney Village. Dat lag vlak naast het park en er waren allerlei themarestaurants en Disneywinkels.

Ze liepen terug naar het hotel.

'Zullen we om acht uur gaan eten?' Mam gaapte.

'Ja! Dan gaan we eerst zwemmen,' riep Nick. 'Ze hebben echt een topzwembad hier. Juul, Vlinder, gaan jullie ook mee?'

Vlinder sprong op en neer. 'Ja!'

Julia knikte. 'Maar ik moet eerst even iets doen. Daarna kom ik ook, oké?'

Florine beet op een vingernagel en staarde naar het scherm. Hoe moest ze dit nou gaan vertellen aan Julia? Ze sloot haar ogen even en voelde het nerveuze gefladder in haar onderbuik.

Pieng! Ze had een berichtje.

Sanne kwam online.

Sannetje11 zegt wat suuuuuuper voor je!!!!! je bent vast allemaal vreugdedansjes aan het doen!
Fl☺☺tje zegt ja, ben ook wel erg blij!!! En mijn ouders helemaal. Goh, nooit gedacht dat die scout mij eruit zou pikken...
Sannetje11 zegt joh, je was gewoon in vorm vandaag.
Fl☺☺tje zegt ja, zal wel. Ging ook wel erg lekker! Terwijl we toch alleen maar gelijk speelden.
Sannetje11 zegt maar daar gaat t zo'n scout niet om

natuurlijk, die kijkt gewoon of je talent hebt
Fl☺☺tje zegt vind je het niet jammer dat jij niet gekozen bent?
Sannetje11 zegt niet zo hoor, vind het prima zo, heb geen zin in nog meer sporten, zit ook al op jazzdance dus is goed zo
Pieng!
JuliainDisney meldt zich aan

Florine verslikte zich bijna en werd misselijk van de spanning. Nu moest ze het wel vertellen...

JuliainDisney zegt hoi!!! Minnie Mouse hier!
Fl☺☺tje zegt hoi! Hoe is het daar in Parijs???
JuliainDisney zegt he-le-maal te gek!!! Echt het is hier zo vet! Super-de-luxe hotel en een megakamer met een deur naar nog een kamer en daar slapen mama en Vlinder. En je had het ontbijtbuffet moeten zien! Tafels vol met pannenkoeken, broodjes, croissants, fruit, sapjes, yoghurt, wafels, eieren, noem maar op! En de parken zelf (het zijn er namelijk twee, die aan elkaar zitten, de een is net Hollywood en de ander is een superpark met allerlei kastelen etc.) zijn zo ontzettend gaaf!!!
Sannetje11 zegt hé, dat klinkt geweldig (ben niet jaloers hoor, tandenknars tandenknars... ☺) Heb je Flo's nieuwtje al gehoord?
JuliainDisney zegt ...nee?!
Fl☺☺tje zegt ik ben geselecteerd voor een volgende ronde

Sannetje11 zegt super hè!? En Sofia ook! Als enige twee van het team! Jammer dat jij er niet was, anders had je vast ook kans gemaakt. Maar Disney is veel leuker natuurlijk!
JuliainDisney zegt o. Jee. Super Flo! Fijn. En Sofia ook. Was die zo goed dan vandaag?
Fl☺☺tje zegt eh, zal wel. Ik weet ook niet waar die scout allemaal naar keek. We moesten gewoon zoals altijd gaan spelen, tegen HC Yellow dus. En die scout stond met een papier en pen langs de zijlijn. Na de wedstrijd moesten ik en Sofia bij hem komen en hij zei dat we nog een ronde door mochten. Het is niet zo dat we nu al bij de YSTA zitten. We moeten nog een keer spelen dus, maar dan met al die andere geselecteerde kinderen van alle teams en clubs.
JuliainDisney zegt misschien kan ik dan wel meedoen!
Fl☺☺tje zegt misschien wel. Maar hij zei dat ze bij de YSTA maar plaats hadden voor een beperkt aantal spelers en dat ze er al te veel hadden, vandaar die extra selectiewedstrijden dus
Sannetje11 zegt denk niet dat je nog mee kan doen, Juul. Eva was vandaag ziek en Simon vroeg of zij ook nog mocht inhalen en dat mocht niet
Fl☺☺tje zegt ja, dat is waar. Sorry Juul, denk dat het inderdaad niet gaat. ☹ jammer, zou erg leuk zijn om samen met jou naar de YSTA te gaan... maar wie weet haal ik het ook niet meer na de volgende wedstrijd, hoor
JuliainDisney zegt oké. Ga nu weer zwemmen. Zie je maandag. Doei

Sannetje11 zegt doe Winnie de Poeh de groeten!
Fl☺☺tje zegt veel plezier nog! Doei! Luf joe!
JuliainDisney heeft zich afgemeld

Florine haalde diep adem. Ze had het zo moeilijk gevonden om tegen Julia te moeten zeggen dat zij geselecteerd was. Julia wilde het veel liever dan zij. Niet dat ze niet blij was geweest, vanochtend, maar eerder verrast. Ze had van Simon naar de scout gekeken en drie keer gevraagd of het echt wel klopte, dat zij nog een ronde door mocht. Het klopte echt, had de scout gelachen. Hij wilde graag nog wat meer van haar en Sofia zien en nodigde hen uit voor de selectiedag die over een week zou plaatsvinden.

Pap en mam waren door het dolle heen geweest en ook Harriët was enorm blij voor haar. Florine had het allemaal wel erg leuk gevonden, maar steeds als ze aan Julia dacht, kreeg ze een stomp in haar maag. Julia was haar beste vriendin en gewoon stukken beter dan zij. En die zou geen kans meer krijgen.

'Florine, lieverd? Kom je naar beneden? We hebben taart om te vieren dat je een ronde verder bent!'

Ze hoorde haar moeder onder aan de trap roepen. 'Ik kom eraan, mam!' riep ze en ze sloot MSN af.

'Wat ben je stil.' Mam keek Julia aan boven haar bord eten.

Ze zaten in het Rainforest Café, een restaurant dat eruitzag als een tropisch regenwoud, compleet met regenbuien en bewegende dieren.

Julia probeerde te glimlachen. 'Het is niks.' Ze draaide haar pasta rond op haar bord.

'Jawel, vanmiddag was je zo vrolijk en vanaf het moment dat je ging zwemmen ben je al stil. Dat is niets voor jou, jij kletst iedereen altijd de oren van het hoofd...'

'Nou, is wel eens lekker rustig zo,' lachte Nick.

Mam pakte Julia's arm vast. 'Gaat het om dat hockeygedoe? Ik dacht dat we daar een afspraak over hadden.'

Julia slikte en knipperde met haar ogen. Ze had beloofd om vrolijk te blijven dit weekend. Maar sinds het MSN-gesprek met Florine voelde ze zich ellendig. Flo en Sofia geselecteerd en zij niet. Terwijl ze héél zeker wist dat ze meer talent had dan Sofia. En eigenlijk ook dan Florine.

Zonder dat ze er wat aan kon doen, drupte er een traan uit haar ooghoek.

Mam keek haar verbaasd aan. 'Jee, Julia... Ik wist niet dat het zo erg was.' Ze trok Julia naar zich toe. 'Wat is er nou precies?'

En Julia vertelde. Dat Florine geselecteerd was en Sofia ook en dat er geen herkansing zou zijn. En hoe graag ze ook naar de YSTA was gegaan. Dat ze met Florine had afgesproken dat ze op MSN zou komen om te horen hoe het vandaag was afgelopen. En hoe ze stiekem gehoopt had dat Simon of wie dan ook tegen de scout zou hebben gezegd dat er nog een heel getalenteerde speelster was, die nu in Disney zat. En dat de scout dan zou zeggen dat zij alsnog een keer mocht komen laten zien wat ze kon.

Mam, Nick en Vlinder luisterden.

'Ach, meisje,' zuchtte mam en ze aaide Julia over haar haren. 'Dat is vervelend. Maar stel nu dat we dit weekend niet naar Disney waren geweest. Jij had ook ziek kunnen zijn en dan was je ook niet geselecteerd. Of nog erger: stel dat je er gewoon was geweest en Sofia en Florine alsnog de enige twee waren geweest die geselecteerd werden... Daar zou je ook niet vrolijk van zijn geworden. Je kunt wel denken dat je gekozen zou zijn, maar je weet het nooit zeker.'

Julia snifte en knikte langzaam. 'Ja, da's waar.'

'Laat je weekend hierdoor nu niet verknallen, oké? Want dan ben je én niet geselecteerd én je geniet niet meer van dit superweekend.' Mam dwong Julia om haar aan te kijken.

'Oké...' Julia haalde diep adem en glimlachte.

'En weet je wat?' Nick wees naar haar met zijn vork. 'Jij bent gewoon zo goed, dat je later gelijk door Oranje gescout gaat worden en dan lach je iedereen uit!'

Julia lachte. 'Ja, en dan maak ik meteen de winnende goal. Ha ha!'

'Mogen we dan nu een toetje?' vroeg Vlinder en mam wenkte de ober.

Julia keek de tafel rond. Op dit moment miste ze haar vader meer dan ooit. En tegelijkertijd was ze enorm blij dat ze hier zat, met haar familie, die wel in haar geloofde. Net zoals pap altijd gedaan had.

Ze rechtte haar schouders. Nou, zij, Julia Smit, geloofde ook in zichzelf en ze wist zeker dat ze op een dag op hoog niveau zou hockeyen!

5

Het was 3-2 voor de B1 van HC Sterrenhout.

Florine wiste wat zweet van haar voorhoofd. Poeh, best zwaar om ballenmeisje te zijn! Het was warm en klam weer. Daarbij moest ze ook nog eens vaak rennen om de bal te pakken, want de meiden van het eerste team sloegen loeihard en regelmatig kwam de bal daarbij buiten het veld. Ze was vandaag bovendien best moe. Vannacht had ze lang liggen woelen in bed, omdat ze aan de ene kant helemaal opgewonden was dat ze gisteren geselecteerd was door de scout en aan de andere kant omdat ze het zo sneu voor Juul had gevonden. Het was al ruim één uur 's nachts geweest voordat ze in slaap was gevallen.

Ze geeuwde en zag hoe een bal het speelveld af rolde, maar Emma had hem al. Gelukkig, hoefde zij niet te rennen. Ze rekte zich uit. Nog maar een minuutje of tien, dan zat de wedstrijd erop. Ze zag hoe Harriët naar voren pushte met de bal.

Haar zus keek even om zich heen en sloeg toen een hoge bal naar een medespeelster. Een kluwen speelsters van beide teams rende naar het doel.

'Shoot!' riep de zijlijnrechter en hij floot af.

Florine zag hoe Tamara, een van Harriëts teamgenoten, de bal vanaf de zijlijn aannam om het spel te hervatten. De speelsters verdrongen zich voor het doel, er werd gefloten en Tamara haalde haar stick naar achteren. Ze keek naar wie ze het beste kon spelen en sloeg met kracht tegen de bal. Die ging zo snel dat Florine hem nauwelijks kon volgen.

Opeens was er verwarring op het veld. Speelsters drongen samen en keken allemaal naar één punt, leek het wel. Florine rekte zich wat uit om beter te zien wat er gebeurde. Ze zag iemand op de grond liggen, de andere speelsters gooiden hun hockeysticks neer en gingen eromheen staan, ze gebaarden schreeuwend naar de zijkant, de coaches kwamen toegesneld, het publiek mompelde onrustig.

'Wie is het?'

'Wat is gebeurd?'

'Er ligt iemand op de grond!'

Florine ging staan en probeerde door de menigte te kijken.

Er kwamen drie mensen het veld op gerend met EHBO-koffers. Iemand riep iets over een ziekenhuis en 112.

Blessures
Hockey is best een 'gevaarlijke' sport. Per jaar raken ongeveer 130.000 spelers geblesseerd. Daarvan moeten er zo'n 10.000 naar de eerste hulp. De meest voorkomende blessures zijn hoofdwonden doordat iemand te hoog met een hockeystick heeft gezwaaid.

Toen de EHBO'ers bij de groep kwamen, weken de speelsters uiteen en kon Florine eindelijk iets zien. Ze hapte naar adem en sloeg haar hand voor haar mond.

Op de grond lag Harriët, bloedend aan haar hoofd.

De rit naar het ziekenhuis leek eindeloos. Harriët was bijgekomen op het veld, maar mocht niet te veel bewegen, omdat ze een hoofdwond had en suf voor zich uit staarde. Ze mompelde onsamenhangend en haar moeder had in tranen naast haar gezeten. Uiteindelijk was er een ambulance gekomen en was Harriët afgevoerd naar het ziekenhuis. Florine en haar vader reden erachteraan met hun eigen auto, haar moeder was in de ambulance meegereden.

'Ze gaat toch niet dood?' had Florine gegild toen ze het bloed uit Harriëts hoofd had zien lopen.

Simon had haar weggehaald en vastgehouden. 'Nee, ze gaat vast niet dood, Florine, maar ze heeft wel een nare wond. De bal kwam tegen de zijkant van haar hoofd.'

Toen Harriët eenmaal van het veld was gehaald, werd de wedstrijd hervat, maar geen van beide teams wilde nog fanatiek spelen en uiteindelijk bleef de stand 3-2.

Florine keek naar haar vader. Met een bezorgd gezicht draaide hij de auto de parkeerplaats van het ziekenhuis op. Hij had de hele rit gezwegen, verzonken in zijn eigen gedachten.

'Denk je dat het heel erg is, papa?' vroeg Florine bibberend.

'Ik weet het niet. We zullen zien. Kom, we gaan naar binnen.'

Ze zagen de ambulance staan, Harriët was er al uit getild. De ambulance had niet met de sirenes aan gereden, zo ernstig was het blijkbaar ook weer niet, dacht Florine.

Harriët lag op een brancard. Florine zag van een afstand dat de hoofdwond bedekt was met verband, dat doorweekt was geraakt van het bloed. Haar zus zag eruit alsof ze sliep, maar opende zo nu en dan haar ogen.

Florine slikte en knipperde met haar wimpers. Stel je voor dat Harriët wel iets heel ernstigs had? Ze staarde naar de grond en voelde haar vaders hand op haar schouder.

Hij duwde haar zacht in de richting van de wachtkamer. 'Ga jij daar zitten, Florine. Dan ga ik samen met mama kijken wat er met Harriët is. Pak maar een tijdschrift of zo. Maar blijf wel in de wachtkamer.'

Florine knikte en liep de wachtruimte in. Er zaten meer mensen, zwijgend te lezen of uit het raam te staren. Eén man had zijn hand verbonden met een theedoek en zijn gezicht vertrok iedere keer van de pijn. Verderop zat een vrouw met een kindje. Het jongetje had zijn been op de stoelen gelegd; Florine zag dat zijn broek doorgeknipt was en dat zijn knie helemaal dik was.

Ze ging in een hoekje zitten en pakte een blad. Ze bladerde er een beetje door, zonder echt iets te lezen.

Harriët keek Florine wazig aan. Haar hoofd zat in een dik verband gewikkeld. Ze probeerde te glimlachen, maar trok een pijnlijke grijns. Pap en mam zaten naast het ziekenhuisbed.

Florine schuifelde dichterbij. Haar moeder had gehuild, zag ze.

'Hai, Harry,' mompelde Florine bedeesd.

Harriët murmelde iets onverstaanbaars.

'Ze kan niet echt goed praten nu, Floortje,' zei mam zacht. 'Ze heeft een behoorlijke klap gekregen tegen haar hoofd. Daar is ze versuft van, en ook nog van het roesje dat ze heeft gekregen toen de arts de wond moest hechten. Waarschijnlijk heeft ze een hersenschudding.'

Florine staarde naar Harriët, die haar ogen weer sloot.

Het bed naast Harriët was leeg. Het rook muf in de kamer en opeens voelde Florine een enorme behoefte om naar buiten te gaan. Naar huis, naar haar hond Bryson, om haar gezicht in zijn vacht te duwen.

'Harriët moet een nachtje blijven, morgen mag ze naar huis. Ze heeft de bal vol naast haar slaap gekregen, links. Gelukkig niet op haar slaap, want dat had anders kunnen aflopen...' Mam slikte even. 'Ze heeft er een behoorlijke hoofdwond aan overgehouden, plus dus een flinke hersenschudding. Gelukkig valt de hechting achter haar haarlijn, dan zul je er later minder van zien.'

Pap haalde een hand door zijn haren en zuchtte. 'Nou, dat hebben we ook weer gehad... Flo, jij en ik gaan lekker thuis slapen en mama blijft hier bij Harry.'

Opgelucht haalde Florine adem. Goed, het was een nare wond, maar gelukkig verder niet ernstig!

'Trouwens,' zei Harriët opeens vanuit het bed, 'we hebben toch wel gewonnen, hè? Au!'

Julia geeuwde in de klas. Het was gisteren best laat geworden, want ze waren pas om elf uur 's avonds thuisgekomen uit Parijs. Maar het was wel een geweldige reis geweest. Ze hadden de hele zondagochtend nog rondgelopen in Disney en daarna waren ze met een luxe bus een rondrit door Parijs gaan maken. Dat zat ook bij de prijs die mam had gewonnen. Ze waren langs de Eiffeltoren gereden, langs de Seine en onder de Arc de Triomphe door. Alle vier hadden ze hun ogen uitgekeken en genoten van de stad. Daarna waren ze teruggegaan naar het hotel, hadden hun spullen gepakt en waren weer op de trein naar huis gestapt. Ze was op school aangekomen toen de bel ging en had geen tijd meer gehad om met Florine te kletsen. Gek, eigenlijk vond ze dat niet eens zo heel naar. Sinds ze gehoord had dat Flo geselecteerd was voor de YSTA, had ze even geen behoefte om de enthousiaste verhalen van Flo daarover aan te moeten horen. Niet dat ze het Flo niet gunde, maar toch... ze gunde het zichzelf meer. Ze keek even snel naar Florine.

Die staarde afwezig voor zich uit.

'Goed.' Juf Nicolette keek rond. 'Wie heeft er dit weekend nog iets leuks meegemaakt?'

'Nou, Juul natuurlijk,' riep Steven. 'Die is naar Disney geweest!'

'Ja, dat is waar. Julia, vertel eens.' Juf Nicolette ging voor de klas op haar kruk zitten.

En Julia vertelde. Over het super-de-luxe hotel, de geweldige attracties in het park en de rondrit door Parijs.

'Klinkt geweldig, Julia,' glimlachte de juf. 'Wie heeft er nog meer iets bijzonders meegemaakt?'

Sanne wees naar Florine. 'Flo is geselecteerd voor de academie voor jonge sporttalenten!'

'De YSTA? Zo! Ik heb er toevallig laatst iets over gelezen in de krant, dat er zo'n soort talentenschool kwam. Gefeliciteerd, Florine! Wat goed.'

Florine knikte blij en trots. 'Ja, maar ik ben nog niet definitief geselecteerd, hoor. We moeten komend weekend nog één wedstrijd spelen. Er is maar een beperkt aantal plaatsen, geloof ik.'

Juf Nicolette keek Florine vriendelijk aan. 'Nou, dan heb jij ook al zo'n topweekend gehad.'

Julia voelde zich bijna misselijk worden van jaloezie. Bah! Ze beet op haar lip en deed net of ze haar nagels bestudeerde.

'Ja en nee,' zei Florine opeens. 'Er is ook iets naars gebeurd. Harriët is gisteren gewond geraakt tijdens haar hockeywedstrijd en ze heeft vannacht in het ziekenhuis moeten slapen. Ze heeft een hersenschudding, maar ze komt in de loop van de dag weer naar huis en dan moet ze een week of zo in bed blijven liggen. Ze heeft best veel hoofdpijn en ze heeft ook een paar hechtingen.'

Julia keek verschrikt op.

'Jee, dat is vast erg schrikken geweest,' zei juf Nicolette. 'Met sporten kun je behoorlijk geblesseerd raken.'

'Mijn broer heeft wel eens een been gebroken met voetballen,' riep Nathan.

'Mijn zusje heeft laatst een tand gebroken, ook met hockey. Ze had haar bitje niet in. Maar de tandarts kon dat stukje er weer aan lijmen,' vertelde Rosa.

'En mijn nicht heeft een keer een gat in haar hoofd gekregen toen ze van de hoge duikplank sprong!' Dat was Sarah.

'Ik heb vroeger ook een hersenschudding gehad. Toen was ik van mijn pony gevallen...' Emma trok een pruillip. 'Hij wipte me er zo af!'

'En dan zeggen ze dat sporten zo gezond is,' grijnsde Martijn.

'Rot van je zus!' Julia kwam in de pauze naast Florine zitten.

'Ja, was echt mega schrikken.' Florine scheurde de verpakking van haar koek en nam een hap. 'Maar het komt gelukkig wel weer allemaal goed. Nooit gedacht dat je met hockey ook in het ziekenhuis kunt belanden, brrr... Ik weet niet of ik dat nou zo leuk vind, hoor!'

'Niemand wil in het ziekenhuis belanden, Flo, maar je kunt bij iedere sport geblesseerd raken. Zelfs bij, eh... schaken!'

'Huh? Bij schaken? Hoezo dan?' lachte Florine.

'De tegenstander kan een schaakstuk naar je hoofd gooien.' Julia grijnsde.

'O, ha ha!' Florine lachte hard en keek daarna naar Julia. 'Je baalt er vast van...'

'Dat jouw zus in het ziekenhuis ligt? Eh... ja, dat is best rot.' Julia trok even haar wenkbrauwen op.

'Nee! Ja, dat ook, maar ik bedoel... van de YSTA.' Florine keek haar aan en beet op haar lip.

Julia bleef even stil. 'Ja. Eigenlijk wel. Niet dat het mijn weekend verpest heeft, hoor, want dat was echt super. Het mooiste weekend sinds... sinds papa's dood.' Ze zuchtte. 'Maar natuurlijk baal ik. Niet dat jij gekozen bent, maar dat ik niet meer gekozen zal worden. Hoe gaat het nu verder?'

'Volgend weekend komen we allemaal bij elkaar om onderlinge wedstrijdjes te spelen. Ze hebben eigenlijk al te veel kinderen gekozen, dus er moeten er nog een paar afvallen.'

'O, een soort Idols, maar dan voor hockeyers!'

'Ja, zoiets.' Florine knikte. 'En donderdagavond is er geloof ik een soort voorlichtingsavond voor alle ouders en kinderen.'

'Leuk.' Julia nam een slok uit haar pakje drinken. 'Waar is dat? Bij Sterrenhout?'

'Nee, op een basisschool. De Molenwiek, geloof ik. Hoezo?'

'Niets. Gewoon nieuwsgierig.' Julia rechtte haar rug. 'Dus je zus komt straks thuis? Heb je al een kaart voor haar gemaakt? En een bloemetje gehaald?' En terwijl Florine antwoord gaf, dacht Julia diep na...

6

'Welkom op deze bijeenkomst van de YSTA. Wij spreken dat inderdaad uit als 'ista', dat is makkelijker dan steeds Young Sports Talent Academy te moeten zeggen!' Voor de groep toehoorders stond een jonge vrouw. Aan een tafel verderop zaten wat mensen van de Academy, onder wie Alex van Oudenhoven, de scout.

Julia was op de achterste rij stoelen gaan zitten. Er waren, schatte ze, zo'n vijftig mensen aanwezig. Ze keek of ze Florine en haar ouders kon ontdekken, maar die zag ze gelukkig niet. Zijzelf was pas naar binnen geglipt toen de bijeenkomst al begonnen was en expres in haar uppie achterin gaan zitten, een beetje weggedoken achter andere mensen.

'Wij gaan jullie vanavond vertellen wat de YSTA doet. De YSTA is een jonge organisatie die jong sporttalent ontdekt en begeleidt. Dat doen we op allerlei terreinen. Vanavond zitten hier tennissers, hockeyers en voetballers. Maar we zijn ook actief op het gebied van zwemmen, paardrijden, noem maar op.' De vrouw nam een slokje water en keek weer rond.

'Jonge sporters met talent, jullie dus, zitten vaak nog op school. Je sport bij je eigen club en soms stap je over naar een andere club die je beter kan begeleiden. Maar dat gaat ook vaak mis. Bijvoorbeeld omdat je je eigen team mist, of omdat je zó fanatiek moet gaan trainen dat je de lol in het sporten verliest. Soms moet je opeens een uur reizen om bij een betere club te kunnen trainen en vaak haken mensen dan na een tijd toch af. Dat is zonde van je talent. Daarom hebben we een nieuwe methode bedacht. Dat is de Young Sports Talent Academy geworden. Wij ontvangen subsidie van de overheid en worden bovendien gesteund door de diverse sportclubs.

Wij werken als volgt: eenmaal per jaar gaan onze scouts in de regio op pad. Zij zoeken nieuw jong talent, jullie dus, en dit nieuwe talent wordt als het ware geadopteerd door een profsporter op datzelfde gebied.'

Geadopteerd?! Het zweet brak Julia uit. Geschrokken staarde ze naar de grond. Moest je wanneer je bij de YSTA terechtkwam bij een ander gezin gaan wonen? O jee... dit was totaal niet de bedoeling! Ze slikte. Het suisde in haar oren. Als ze nu eens stiekem wegglipte... Ze zat tenslotte dicht bij de deur. Ze keek achter zich en stond zachtjes op. Ze sloop naar de deur en pakte de klink vast. Zij, Julia Smit, werd niet geadopteerd! Nu niet en nooit!

'Hola! Hallo? Meisje?'

Julia draaide zich om. Iedereen in de zaal had zich nu omgedraaid en keek haar belangstellend aan.

'Hè?' hoorde ze iemand zeggen. 'Dat is Julia. Wat doet zij nou hier?'

De vrouw op het podium knikte vriendelijk. 'Waarom ga je nu al weg?' vroeg ze.

Julia voelde dat ze knalrood werd. 'Nou, eh... het...' stamelde ze, '...ik hoef niet zo nodig geadopteerd te worden. Ik heb al een gezin.' Dat laatste kwam er zacht uit.

Het was even stil in de zaal en de vrouw keek haar verbijsterd aan. Toen klonk er hier en daar gegrinnik.

'Pfff, die denkt dat ze echt geadopteerd gaat worden!' hoorde ze iemand proesten.

De vrouw kwam van het podium af en liep naar Julia toe. 'Lieve kind, niemand gaat je weghalen bij je ouders, hoor. Och hemel... dat had ik beter anders kunnen formuleren. Ik bedoelde niet dat je bij een ander gezin gaat wonen, maar dat je onder de hoede komt van een professionele sporter, die jou extra trainingen geeft en bij wie je met je vragen terecht kunt.'

Julia slikte. Wat een stom rund was ze ook... Wat een blunder. Ze slikte. En het ergste: ze had hier helemaal niet mogen zijn, ze was gewoon stiekem naar binnen geglipt. Gewoon om te horen wat er gezegd werd en te kijken of ze nog een kans zou maken om ook geselecteerd te worden. Niemand wist dat ze hier was; tegen mam had ze gezegd dat ze even bij Harriët op ziekenbezoek ging. En nu waren alle ogen op haar gericht...

De vrouw legde een hand op haar schouder. 'Ik kan me indenken dat je geschrokken bent. Sorry, dat was niet de bedoeling. Ga je weer zitten? Want het is echt een hele mooie kans, de YSTA.'

Julia zuchtte. Ze kon nu moeilijk zeggen dat ze hier niet hoorde te zijn. Ze hoopte maar dat Florine en Sofia, die hier ook moesten zitten, hun mond zouden houden... Was ze maar nooit gekomen... Ze liet zich door de vrouw weer naar haar zitplaats dirigeren.

Iedereen staarde naar haar. De vrouw beklom opnieuw het podium en het werd weer rustig in de zaal.

'Waar was ik gebleven, eh… de jonge talenten krijgen dus extra aandacht en coaching van topsporters. Die extra aandacht krijgen ze eenmaal per week, vaak in het weekend. Soms is er een heel weekend ingepland. Dan kun je niet meespelen met je eigen team, maar daar worden afspraken over gemaakt. Jullie teams zijn er natuurlijk ook bij gebaat als er straks hele sterke spelers in zitten. We werken regionaal, zodat kinderen niet het hele land door hoeven te reizen. Eenmaal per jaar organiseren we een landelijke bijeenkomst. Dan komen we allemaal bij elkaar en kun je leuke clinics volgen, elkaar ontmoeten en 's avonds is er een feest.'

Iedereen begon door elkaar te praten.

'Wat is het verschil met de regionale selectiedagen? Van de hockeybond?' vroeg een vrouw.

'Nou, wij werken nog wat breder. Er is bijvoorbeeld nauwelijks reistijd. En we werken wel samen met de hockeybond, hoor. Als je oud genoeg bent, kunnen we je voordragen voor de regionale teams. De YSTA doet namelijk, wat hockey betreft, alleen D- en C-teams.' De vrouw keek de zaal weer rond.

'Kost het ons ook geld?' vroeg een man.

'En houdt mijn dochter wel tijd over voor school?'

'Wie gaat ze begeleiden? En waar?'

De vrouw stak lachend haar handen in de lucht. 'Ik begrijp dat jullie veel vragen hebben. Ik zal proberen ze te beantwoorden. Het kost niemand iets extra's. Alleen als we een heel weekend organiseren, en dat doen we tweemaal per jaar, vragen we een bijdrage in de kosten van het overnachten en de maaltijden, maar dan hebben we het over vijftig euro of zo. Verder worden de sporters die jullie kinderen gaan begeleiden gewoon door onze stichting betaald. Sportmaterialen hebben jullie al en als je wedstrijden voor ons gaat spelen – we oefenen soms ook mee met de competitie – krijg je shirts van de sponsor. Het enige wat het jullie kost...' Hier was ze even stil, '...is tijd. Tijd, inzet en toewijding. Je moet het wel willen! Je kunt dus niet zomaar wegblijven van onze clinics en trainingen. Tenzij je echt ziek bent natuurlijk. Maar stel dat je oma jarig is, dan kun je niet wegblijven van de training. Je moet er wel iets voor overhebben. Wij investeren in jullie en vragen dus ook iets terug.'

'En vakanties? Mag je dan ook niet weg?' vroeg een jongen die net voor Julia zat.

Ze zag zijn profiel. Leuke jongen. Ze keek op haar horloge en wenste dat de bijeenkomst afgelopen was, zodat ze naar huis kon voordat Florine en Sofia haar zouden bestoken met vragen...

'Jawel hoor, wij houden ons aan de landelijk vastgestelde schoolvakanties. Je moet het zo zien: je blijft gewoon bij je eigen team, traint met hen mee, en eenmaal per week krijg je extra training. Vaak op vrijdagavond, dat komt voor de meesten het best uit en we hoeven er dan geen rekening mee te houden dat je de volgende dag een proefwerk of zo zou hebben. Stel je bent hockeyer: dan krijg je op vrijdagavond een extra training met alle YSTA-hockeyers uit jouw regio. Die training wordt gegeven door een coach die bij ons in dienst is. En een- of tweemaal per maand komt er een topsporter om jullie een clinic te geven. Dat is dan in plaats van de vrijdagavondtraining. Die topsporter mag je ook te allen tijde om tips vragen, dat kan via je mail. En als de coach ziet dat je extra training nodig hebt, bijvoorbeeld op je backhand, zal de topsporter jou daarmee helpen.'

Iedereen knikte en mompelde instemmend.

'Waarom doen jullie dit eigenlijk?' vroeg een moeder op de rij voor Julia.

'Omdat we werken aan een nieuwe generatie topsporters. Deze kinderen hier zijn allemaal potentiële topsporters. Sommige zullen terechtkomen op Olympische Spelen en wereldbekerfinales. Dat weten we nu al. En we willen die talenten graag stimuleren zonder dat het ten koste gaat van hun reguliere leven.'

'Ik heb gehoord...' klonk een mannenstem.

Julia hoorde dat het Florines vader was. Ze liet haar schouders zakken. Die had haar natuurlijk ook gezien en hij wist héél goed dat Julia niet geselecteerd was.

'...dat jullie al te veel talent hebben ontdekt.'

Iedereen lachte.

'En dat er dit weekend een extra selectie volgt. Er zitten hier dus kinderen in de zaal die buiten de boot gaan vallen.'

Er klonk gemompel.

'Ja, dat klopt helaas. Maar, en dat wil ik nadrukkelijk zeggen, misschien krijgen we over een jaar extra geld en dan kunnen we mensen die nu buiten de selectie vallen, alsnog uitnodigen om bij de YSTA te komen. We moeten eerst bewijzen dat het concept van de YSTA werkt. En tja, we zagen inderdaad al zo veel talent op de hockeyvelden en tennisbanen... Ik begrijp dat het voor de kinderen die zaterdag nog afvallen niet leuk zal zijn, maar we houden jullie wel in de gaten, hoor! En misschien vallen er in de loop van het jaar kinderen af en dan kunnen we jullie weer uitnodigen.'

Iedereen knikte instemmend.

'Dan wil ik nu aan de jonge sporters vragen om zich bij hun adoptiesporter te voegen.' De vrouw knipoogde naar Julia. 'Maar daarna mag je gewoon weer naar je eigen huis, hoor. Tennissers, staan jullie even op?'

Er gingen zeven kinderen staan.

'Jullie mogen mee met Sven Hardenberg.'

Er klonk gejuich en gejoel.

Julia keek op en zag dat Sven Hardenberg ook opstond. Hij had op de eerste rij gezeten en draaide zich lachend om naar de zaal. Jee, Sven Hardenberg was echt een enorme topper, dacht ze. Ze wist niet zo veel van tennis, maar haar moeder keek er graag naar op tv en Sven had al op Wimbledon gestaan. Ze voelde opeens een vlinderlicht gekriebel in haar buik. Wie zou de hockeyers gaan coachen? Niet dat het uitmaakte voor haar... Ze kreeg een knoop in haar maag.

'En de hockeyers...'

Er gingen allerlei kinderen staan. Julia bleef zitten.

De jongen voor haar stond ook op en keek even achterom. 'Hé, pssst,' fluisterde hij en ze keek in zijn groene pretogen. 'Je moet wel opstaan. Jij bent toch ook hockeyer?'

'Eh, ja... nee...' Julia voelde dat ze vuurrood werd.

'...de hockeyers worden geadopteerd door Jacomijn Belting.'

Julia hapte naar adem. Jacomijn Belting? Dat was geweldig! Zij was een superster.

Iedereen stond te juichen en kinderen liepen naar voren, naar Jacomijn, gevolgd door hun ouders. Julia zag nog net hoe Florine, die door haar vader naar voren geduwd werd, zich omdraaide en probeerde haar te ontdekken. Ze slikte en knipperde tegen haar tranen. Verdorie, nu wilde ze nog liever naar de YSTA toe. Ze stond op en wilde wegglippen, maar voelde opeens een hand op haar schouder.

'Niet zo snel weggaan hoor, je denkt toch niet nog steeds dat we je gaan adopteren?!'

Julia hoorde de jonge vrouw lachen en draaide zich om.

De vrouw keek haar vriendelijk aan. 'Je stond niet op toen de tennissers geroepen werden en nu weer niet.'

'O, ik, eh...' Julia kreeg het enorm warm. 'Ik zit eigenlijk op eh... handbal. Ik dacht dat dit de bijeenkomst voor handbal zou zijn.' Pfieuw, dat had ze toch maar mooi even verzonnen!

'O?' De vrouw trok een wenkbrauw op.

'Juul! Joehoe, Juul!' Door de menigte kwam Florine op haar af lopen. 'Hé, wat doe jij hier nou?' Florine keek haar vriendin vragend aan.

'Eh...' Julia staarde naar de grond.

De vrouw van de YSTA stond nog steeds naast haar. 'Ik geloof dat dit meisje – Juul, zei je? – voor de handbalbijeenkomst kwam. Alleen...' Ze kuchte even. 'We hebben geen handbalafdeling.'

'Handbal?' Florine keek niet-begrijpend naar Julia. 'Ga je van de hockey af?'

'Nee.' Julia zuchtte en keek de vrouw aan.

Die keek vragend terug.

'Het spijt me. Ik ben niet uitgenodigd voor deze avond, maar... Ik was niet thuis toen de scout dit weekend kwam kijken en ik weet heel zeker dat ik gekozen was als de scout mij had zien spelen.' Ze haalde diep adem en keek de vrouw recht in haar ogen. 'Ik wil dolgraag naar de YSTA. Ik zou er heel veel voor overhebben. Ik weet dat ik het kan. En ik baal ontzettend dat ik nu een jaar moet wachten voordat de scout misschien opnieuw naar onze club komt, en dat ik dan pas kan laten zien wat ik kan en hoe goed ik ben.' Julia keek Florine verontschuldigend aan. 'Dus toen Flo vertelde over deze bijeenkomst, wilde ik gewoon zelf zien hoe het was. Ik hoopte dat er nog een kans was om geselecteerd te worden, maar jullie hebben al te veel kinderen...' eindigde ze. 'Dus ik ga al. Ik moet naar huis, mijn moeder wordt anders ongerust. Sorry.' Ze draaide zich om en rende de zaal uit.

Buiten stond ze even stil. Haar hart klopte in haar keel en haar ogen brandden.

Jacomijn Belting. Van haar had ze héél erg graag training gehad. In plaats daarvan had ze zichzelf helemaal voor schut gezet waar iedereen bij was. Als ze al ooit een kans had gehad, was ze die nu zeker kwijt door haar stomme en stiekeme gedrag. Ze haalde diep adem en vocht tegen haar tranen, voordat ze haar fiets pakte en snel naar huis ging.

7

'Gaat het een beetje?' Florine stak haar hoofd om de deur van Harriëts slaapkamer. 'Heb je nog veel hoofdpijn?'

Haar zus ging iets rechter in de kussens zitten. Ze mocht nog niet helemaal rechtop zitten en deze week mocht ze zich ook niet inspannen met televisie of computer, dus ze verveelde zich ronduit dood, zoals ze zelf zei. 'Ja. Gaat wel, hoor. Kom je even bij me zitten kletsen? Het enige wat ik kan, is de hele dag muziek luisteren en dat heb ik ook wel even gehad. Hoe was het vandaag op school?'

'Een gewone dag. Niets bijzonders.' Florine plofte neer naast haar zus. 'En daarnet waren we bij de informatieavond van de YSTA.'

'O ja. Vertel!'

'Nou, het was een beetje raar. Uit de M8D3 zijn Sofia en ik gekozen. Verder was Daantje uit de C1 er, Stijn uit de D1 en Wouter uit de C2. En toen kwam Julia ook. Die was stiekem naar binnen gegaan en zat ook mee te luisteren. Terwijl ze niet uitgekozen is. Dus dat was wel een beetje raar eigenlijk...'

'Echt? Jee, dan moet ze het wel heel graag willen, zeg. En toen?' Harriët streek een pluk haar uit haar gezicht. De hechting aan de zijkant van haar hoofd zat nog vol opgedroogd bloed; het was net een zwart draadje dat zigzaggend door haar huid heen getrokken was.

'Ik denk dat het niet de bedoeling was dat iemand in de gaten had dat zij er ook was, maar ja, ze verraadde zichzelf toen ze halverwege weg wilde gaan. Toen zag iedereen haar.'

'Oei! En toen?'

Florine pulkte aan haar nagel. Ze had het zo vreemd gevonden dat Juul daar opeens had gestaan en ze wist niet zo goed wat ze erbij voelde. Ergens was ze zelfs een beetje boos, alsof Julia het haar niet gunde dat zij door de scout van de YSTA was uitgekozen... 'Uiteindelijk heeft die mevrouw die ons alles stond uit te leggen, nog even met haar gesproken en toen rende ze opeens weg. Die mevrouw vroeg mij naar haar telefoonnummer, dus dat heb ik gegeven.'

'Dan zal ze wel gebeld worden door de organisatie van de YSTA dat het toch echt niet de bedoeling is dat ze stiekem mee kwam luisteren. Ze zal vast een waarschuwing krijgen.' Harriët trok aan de strik van haar nachthemd.

'Ja, misschien wel. Hé, en daarna was het dus zó vet! Weet je van wie ik les ga krijgen, als ik doorga na zaterdag? Dat raad je dus nooit!'

'Nou, ik heb alle tijd. Eens kijken. Van Philomena Goudswaard? Nee? Eh... Jessica Alders? Ook niet?'

'Nee, Jacomijn Belting!'

Harriëts ogen begonnen te stralen. 'Echt? Dé Jacomijn Belting? Die altijd zo loei- en loeihard slaat?'

'Ja, die! Goed, hè?' Florine was helemaal opgetogen. Ze hadden nog even mogen kletsen met Jacomijn, die in het echt superaardig was.

'Oe, wat leuk! Maar zaterdag moet je toch eerst nog met z'n allen spelen? Dan bestaat er nog een kans dat je eruit moet.'

Florine knikte. 'Ja. Dat zou echt zo balen zijn... Maar dan maak ik wel weer kans zodra iemand anders eraf gaat of anders volgend jaar. Al hoop ik natuurlijk dat ik er nu bij kan blijven.'

'Jammer dat ik niet kan komen kijken, zaterdag. Dan lig ik hier nog. Maar tegen die tijd mag ik al wel zitten. En een uurtje achter de computer. Ik heb mijn kamer nog nooit zo goed leren kennen als nu... Pfff, ik ben dat liggen wel zat, hoor! Maar als ik me inspan, krijg ik mega hoofdpijn, dus ik moet wel.' Harriët liet zich weer rustig in de kussens zakken.

'Ben je niet bang? Om weer te gaan spelen, bedoel ik? Dat je opnieuw een bal tegen je hoofd krijgt?' Florine rilde even. 'Brrr... Daar moet je toch niet aan denken.'

'Nee, dat niet. Hooguit zal ik wat voorzichtiger doen in het begin. Maar als je bang bent, kun je niet vol gaan. Dus je moet nooit angstig zijn. Maar ook weer niet onvoorzichtig, dat is iets anders. Geen grote risico's nemen. Ik had gewoon pech.'

'O!' Florine ging plotseling rechtop zitten.

Harriëts gezicht vertrok even. 'Ho, niet zo tekeergaan op bed, dan schommelt het en doet m'n hoofd pijn...'

'Sorry! Maar weet je wie ik ook zag bij de YSTA? Dat meisje van Waerdenburgh met wie Julia gevochten heeft. Die was er ook met haar vader. Ik weet niet of ze me herkende, ze was met nog een paar kinderen van Waerdenburgh.'

'Nou, dan zal ze wel goed zijn, anders word je toch echt niet

geselecteerd om te trainen met Jacomijn Belting...'
'Ja,' zuchtte Florine. 'Waardeloos eigenlijk.'
'Nee, Waerdenburgh zul je bedoelen, ha ha!'

'Het is voor jou. Ene mevrouw Saskia Scholten.' Mam overhandigde de telefoon aan Julia.

Mevrouw Scholten? Julia fronste haar wenkbrauwen. Ze kende niemand met die naam. 'Hallo? Met Julia Smit.'

'Dag, Julia,' klonk een vrouwenstem.

Julie herkende hem direct. De vrouw van de YSTA.

'Je spreekt met Saskia Scholten. Jij was eerder op de avond bij de bijeenkomst van de YSTA en...'

Julia hapte naar adem en kreeg de neiging de telefoon neer te leggen. O jee! Hoe kwam die vrouw aan haar telefoonnummer? En waarom belde ze? Zou je straf kunnen krijgen omdat je ergens stiekem binnen was geslopen? Julia kreeg het warm en koud tegelijk en ze draaide haar gezicht weg, zodat haar moeder niet kon zien dat ze wijnrood was aangelopen.

'...nu wilde ik toch even met je praten. Ik was wel verrast door je... doortastendheid. Je doorzettingsvermogen, zeg maar. Dus ik heb je telefoonnummer gevraagd aan die vriendin van je, die erbij kwam staan.'

'O...' Julia wist niet veel meer uit te brengen.

'Je doet me denken aan mezelf,' lachte Saskia door de telefoon. 'Ambitieus en een enorme wil om ver te komen in de sport. Ik heb zelf lang op hoog niveau getennist en ik herken in jou een winnaarsmentaliteit.'

'Eh... dank u.' Julia tekende met haar vinger figuurtjes op de muur. Waar ging dit gesprek heen? Wat wilde deze mevrouw?

'Nu is het zo dat er heel veel kinderen bij de YSTA zouden willen komen. Zo veel zelfs, dat we een duidelijk beleid hebben: als je niet op de wedstrijd bent waar de scout aanwezig is, val je automatisch af. We hebben immers maar een beperkt aantal plaatsen en nu al te veel jong talent. En jij was er niet, dus val je automatisch af.'

Ja, dat weet ik ook wel, dacht Julia geïrriteerd.

'Maar ik wil een uitzondering maken. Ik vind het moedig van je dat je naar de bijeenkomst kwam om te kijken of je toch nog een kans maakte. Dus hierbij wil ik je uitnodigen om aanstaande zaterdag mee te spelen. Dat wil niet zeggen dat je automatisch voor de YSTA geselecteerd bent, want zaterdag is tenslotte nog een selectiewedstrijd. Er zullen vijf... nee, zes als jij meedoet, kinderen af moeten vallen. Nou, lijkt het je wat?'

Julia hapte naar adem. Leek het haar wat?! 'Ja,' gilde ze door de hoorn. 'Dank u wel!'

'Goed zo, dan zien we je om tien uur bij veld 4 van HC Yellow. En dan kun jij laten zien of je echt zo goed bent als je zelf beweert. Ik hoop dat je me niet teleurstelt... Tot zaterdag.'

Julia grijnsde van oor tot oor. 'Tot zaterdag.'

Toen ze op had gehangen, rende ze naar de keuken. 'Mam. Mam, ik mag meedoen!'

'Echt? Dat meen je niet?' Florine keek Julia stomverbaasd aan. 'Dus... je mag zaterdag meespelen? Goh...'

'Ja! Super, vind je niet?' Julia ratelde door over het telefoontje de avond ervoor, van Saskia Scholten.

En ik heb haar Julia's telefoonnummer gegeven, dacht Florine ontzet. Ze probeerde enthousiast te zijn. 'Nou, dan kunnen we met z'n drietjes fietsen, zaterdag. Sofia, jij en ik.'

'Ja! En die Saskia zei dat...' ging Julia verder.

Florine keek naar haar tafel. De bel was al gegaan, maar juf Nicolette stond nog in de gang te praten met de vader van Esmee en iedereen in de klas kletste wat door elkaar heen. Buiten regende het en zo nu en dan hoorde ze een klap onweer.

Als Julia meedeed... dan maakte ze nog minder kans om door te gaan. Er moesten immers al kinderen afvallen en Julia was nu eenmaal beter dan zij, eerlijk was eerlijk.

Sinds Florine naar de informatieavond was geweest en kennis had gemaakt met Jacomijn Belting, wilde ze opeens dolgraag bij de YSTA komen. Natuurlijk was ze blij geweest toen ze gescout was, maar diep van binnen geloofde ze niet dat ze door zou gaan naar de volgende ronde. En toen Julia naar de informatieavond was gegaan, had Florine iets gevoeld... een soort jaloezie, boosheid... Ze had zich misschien zelfs beledigd gevoeld dat Julia maar niet kon geloven dat zijzelf niet gescout was en Florine wel. En nu zou Julia zaterdag ook meespelen en zou de kans van Florine om bij de YSTA te komen, kleiner worden...

'Hé! Luister je wel?' Julia stootte haar aan.

'O! Ja, sorry, ik was eh... even met mijn gedachten bij Harriët.' Florine glimlachte naar Julia.

'O, gaat dat wel een beetje? Stom, ik ben zo vol van zaterdag, dat ik vergeet te vragen naar Harry! Hoe gaat het met haar?'

'Goed. Steeds een beetje beter...'

'Fijn! Zal ik je zaterdag ophalen? En dan fietsen we door naar Sofia? Die woont op weg naar Yellow.'

'Is goed,' mompelde Florine. Ze was blij dat op dat moment juf Nicolette de klas in stapte en iedereen tot de orde riep.

'Je moet wat eten, Flootje. Kom op, je hebt straks een belangrijke wedstrijd! Dan moet je energie hebben, iets in je maag. Het liefst iets met langzame koolhydraten...' Mam zette nog een kopje koffie onder het espressoapparaat.

'Huh? Wat moet ik eten? Koolhydraten?' Florine staarde naar haar kom muesli met yoghurt.

'Ja, daar zit energie in en als je langzame koolhydraten eet, heb je daar straks bij de wedstrijd nog plezier van. Topsporters zoals voetballers en hockeyers eten ruim voor een wedstrijd altijd veel langzame koolhydraten zoals spaghetti. Daar hebben ze in de wedstrijd dan nog steeds energie van.'

Spaghetti in de ochtend... Florine voelde een misselijkmakende knoop in haar maag. Alleen het idee al!

Haar moeder liep op haar af en zoende haar op haar hoofd. 'Je bent natuurlijk vreselijk nerveus, dat snap ik best. En daarom krijg je geen hap door je keel. Maar je moet eten, anders ga je van je graatje, schat. Dus hup, ik wil die hele kom leeg zien. En dat glas sap ook.' Florines moeder pakte de krant en bleef bij haar zitten.

Met lange tanden begon Florine haar ontbijt naar binnen te werken. 'Komen jullie kijken?' vroeg ze en ze schraapte nog een lepel yoghurt uit het bakje.

'Jazeker. Tenminste, ik moet eerst training aan de benjamins geven, daarna kom ik. Papa blijft hier nog even bij Harriët, maar die kan best een paar uur alleen zijn. Fijn hè, dat ze inmiddels af en toe op mag. En vanaf maandag mag ze gewoon weer de hele dag uit bed. Jammer dat zij nog niet kan komen kijken. Maar dat komt wel.' Mam vouwde de krant weer op. 'Maak je niet te druk, hoor. Jij bent niet voor niets gescout en je hebt evenveel kans als ieder ander om definitief aangenomen te worden bij de YSTA.'

Niet, dacht Florine, haar kansen waren echt kleiner geworden nu Julia ook meedeed... Maar ze glimlachte naar haar moeder en zei: 'Ik hoop het.'

'Kom, ga je spullen pakken. Hoe laat zou Julia je halen? Toch wel bijzonder dat zij ook nog mag spelen vandaag.'

'Ze komt over een kwartiertje,' mompelde Florine. 'Heb je trouwens Simon nog gebeld dat ik er niet ben vandaag?'

'Natuurlijk. Simon wist het al. Tussen Sterrenhout en de YSTA zijn goede contacten.'

Florine stond op en wilde de keuken uit lopen.

'Flo? Als je niet doorgaat vandaag, is dat niet het einde van de wereld. Dan behoor je tot de betere spelers van Sterrenhout, maar net niet de aller-allerbeste. En dat is niet erg. Wij zijn heus niet minder trots op je.'

Florine bleef staan en keek haar moeder dankbaar aan.

'Dat wil alleen niet zeggen dat je het niet moet proberen, dame, dus hup, spullen halen!' lachte mam en ze gebaarde met haar hand dat Florine op moest schieten. 'Je bitje, scheenbeschermers... Neem wat drinken en wat te eten mee. En je krijgt ook nog wat geld van me. Zet 'm op, lieverd!'

8

Julia, Sofia en Florine stonden schuchter bij elkaar op het veld. Er waren ongeveer dertig kinderen, sommige met hun ouders en broers en zussen, andere alleen.

Julia's moeder kon niet komen, vanwege haar kantinedienst. 'Dat kan niet schat, vorige week was ik er ook al niet, omdat we in Disney zaten. Ik kan niet weer vrij nemen. Maar ik weet zeker dat jij enorm je best zult doen en je moet me er vanavond alles over vertellen!' had ze die ochtend gezegd.

Julia had Florine opgehaald. Die was opmerkelijk stil geweest, vond ze, maar ach, dat waren vast de zenuwen. Sofia daaren tegen had honderduit gekletst de hele weg naar HC Yellow toe.

Nu stonden ze stil bij elkaar te wachten op wat komen ging.

'Hé, hallo,' hoorden ze achter zich. Ze draaiden zich alle drie om.

Achter hen stond een jongen. Hij keek Julia aan en lachte. 'Het adoptiemeisje!'

Julia beet even op haar lip. O ja! De jongen die voor haar had gezeten op de informatieavond. 'Hoi,' zei ze.

'Kom je ook spelen? Cool. Ik ben Philip.' Hij keek hen vragend aan.

'Sofia.' Sofia lachte lief.

'Florine van Senhoven.' Florine knikte kort.

'Julia. Ik heet Julia Smit.' Julia keek hem onderzoekend aan. Hij had blond krullend haar en groene ogen. Ze schatte hem wat ouder dan zijzelf was.

'Philip! O, daar ben je!'

Julia herkende de stem gelijk. Ze draaide zich nu om en keek het meisje recht in haar gezicht.

'Goh, dat jíj...' Het roodharige meisje gaf 'jij' extra nadruk.

Alsof ze het over een drol had, dacht Julia en ze balde achter haar rug haar handen.

'...toch ook een kans krijgt. Dat is wel het mooie van de YSTA, dat ze ook aan liefdadigheid doen.'

'Eugenie...' Philip zuchtte. 'Kom, we gaan naar de kantine. Tot straks!' Hij keek Julia nog even aan, maar werd toen meegetrokken door Eugenie.

'Oei,' gromde Julia. 'Wat een serpent is dat toch! Geen idee dat zij hier ook zou zijn, wist jij dat?' Ze keek Florine aan.

Die haalde haar schouders op.

'Kom, we moeten ons blijkbaar melden in de kantine.' Sofia begon te lopen. 'En laat de wedstrijd dan maar beginnen, ik heb er zin in!'

'Jullie krijgen allemaal een nummer toegewezen, een, twee, drie of vier, ' zei de man die voor de groep stond. 'De eentjes komen hier staan, de tweetjes daar en de drietjes achter mij. De viertjes mogen bij Saskia gaan staan. Dat zijn de teams waarin je speelt voor vandaag. We delen ze willekeurig in en ook gemengd. Bij de YSTA trainen we altijd met jongens en meisjes door elkaar, zo leer je het meest van elkaar. Daarna gaan jullie wedstrijdjes spelen van steeds twintig minuten. Ikzelf – trouwens, ik heet Pim – en mijn collega's Saskia, Pieter en Yvette zullen jullie bekijken en beoordelen. Zo hebben we van iedere speler minimaal drie beoordelingen. Vanmiddag komen wij alle vier bij elkaar en beoordelen we wie van jullie doorgaan en wie er toch niet bij zullen blijven. Er vallen vandaag zes kinderen af. Er blijven er dan nog vierentwintig over, met wie we in de toekomst twee elftallen willen vormen. Natuurlijk begrijpen we heel goed dat het niet leuk is als je vandaag afvalt.' Pim glimlachte vriendelijk naar de groep. 'Maar dat wil niet zeggen dat je geen talent hebt en nooit meer een kans maakt om bij de YSTA te komen. Alleen hebben we op dit moment dan nog geen plaats voor je. We zullen je gegevens wel bewaren. Goed, jij bent een, jij twee, drie...'

Julia kwam bij het tweede groepje. Florine en Sofia zaten bij de drietjes. Eugenie werd ook bij de tweetjes ingedeeld. Bah, dacht Julia. Zo'n verwend kreng als teamgenoot.

Eugenie liep gelijk naar een ander meisje in team twee. 'Solange! Gelukkig dat er ook getalenteerde spelers in dit team zitten. Dat kun je denk ik niet van iedereen hier zeggen...' Ze keek daarbij nadrukkelijk naar Julia.

Julia beet op haar lip. Wat was dat toch met dat kind, dat alles wat ze zei zo'n hatelijke ondertoon had?

Maar veel tijd om erover na te denken had ze niet. Er werd gefloten voor de eerste wedstrijd.

De hele ochtend speelden ze wedstrijdjes. Florine draafde over het veld met de bal. Ze speelde de bal naar Wouter, een speler van Sterrenhout die ze wel vaker in de kantine had gezien. Hij nam hem aan en sloeg hem in de goal van team een.

'Yeah!' juichte Florine en ze gaf hem een high five.

Het eindsignaal klonk.

Iedereen drentelde naar de tribune toe, waar gratis drankjes en fruit stonden.

Julia stond in een hoekje. Florine begroette eerst haar ouders, die langs de zijlijn stonden.

'Gaat het goed, schat?' Haar moeder streek even een pluk haar van Florines bezwete voorhoofd.

Gulzig dronk Florine uit haar bidon met water en knikte. 'Ja...' hijgde ze nog na. 'Wel vermoeiend, hoor, steeds maar wedstrijdjes...'

'Ach,' zei pap. 'Het mag voor jou toch geen probleem zijn om door de selectie heen te komen. Ik zie zo al een aantal spelers die echt minder goed zijn dan jij.'

Florine beet op het tuitje van de bidon en keek het veld rond. 'Ik weet het niet, pap. Er moeten zes kinderen weg na vandaag. Dus dat is een kans van een op vijf dat ik niet doorga.'

'Welnee! Als ze horen dat je een Van Senhoven bent, nemen ze je gelijk aan,' lachte hij.

Mam fronste haar wenkbrauwen en keek hem streng aan. 'Waar slaat dat nou op? Alsof je alleen op een naam binnenkomt.'

Pap sputterde wat tegen. 'Zo bedoelde ik het ook niet... maar de Van Senhovens zitten al zo lang op hockey en zijn zulke talenten! Dat is van oudsher best een bekende naam, hoor, in de hockeywereld.'

Florine zuchtte. Haar vader kon het ook nooit laten om te benadrukken hoeveel familieleden in het verleden op hockey hadden gezeten en hoeveel van hen bijna de top hadden bereikt... 'Ik, eh... ik ga eens bij Juul kijken.' Ze stak haar hand op en liep weg.

'Hoe gaat het bij jullie?' Florine leunde tegen het hekwerk naast Julia.

'Prima. Die Eugenie zit bij ons in het team. Jakkes. Maar ze is wel goed, dat moet ik toegeven. Bijna net zo goed als ik,' grijnsde Julia.

Ze keken zwijgend naar het veld en de andere kinderen.

'Die jongen daar...' Julia wees naar Philip. 'Wat vind jij van hem?'

Florine keek naar de jongen. Hij zag er erg leuk uit. Zo nu en dan keek hij hun richting uit. 'Leuk. Gewoon.' Florine haalde haar schouders op. 'Hoezo?'

'O, niets.'

Maar Florine zag dat Julia een rood hoofd kreeg. 'Juul!' zei ze lachend. 'Je vindt hem blijkbaar erg leuk!'

'Niet! Gewoon aardig. Meer niet,' zei Julia snel.

'Ja ja...'

Er werd weer gefloten en iedereen moest verzamelen.

'Goed.' De man die Pim heette, keek op zijn papieren. 'Dat was erg leuk om te zien. We hebben zojuist overlegd. We willen nu twee teams vormen van elk acht spelers, de anderen mogen toekijken en even uitpuffen. We zijn er nog niet helemaal uit welke zes af zullen vallen, maar na deze wedstrijd zullen we dat wel weten.'

'Dus...' zei Solange, 'als je nu moet spelen, kun je nog afvallen? En als je toeschouwer bent, ben je sowieso al door?'

'Ja,' knikte Pim. 'Zo zit het. Ik ga nu de namen noemen van de kinderen die nog een keer moeten spelen. We verwachten fair play van iedereen. Ga niet als idioten met je stick maaien en speel gewoon sportief. Ik zeg je naam en daarna een of twee en dan voeg je je bij je team.'

Iedereen was muisstil. Florine kneep haar handen samen. Hopelijk werd haar naam niet genoemd, dan was ze sowieso door...

'Florine, nummer een; Heike, nummer twee; Geoffrey, nummer een...'

Florine werd rood van schrik.

Julia keek haar aan. 'Verdorie, Flo, jammer,' fluisterde ze. 'Maar je redt het wel!'

'...en de laatste, Julia, nummer twee.'

Nu hapte Julia naar adem. 'O!'

Tegelijkertijd klonk er van de kinderen die niet genoemd waren een enorm gejuich. Zij omhelsden elkaar en liepen vrolijk lachend naar de tribune. Onder hen waren ook Philip en Eugenie.

Philip liep naar Julia toe. 'Succes. Jammer, ik vond je al supergoed spelen... Zet 'm op, jij ook,' zei hij tegen Florine.

Florine keek Julia aan. 'We zijn in ieder geval allebei twijfelgevallen.'

'Ja, maar de strijd gaat dus ook tussen ons.' Julia keek bedenkelijk naar Philip, die naar de ongeduldig wachtende Eugenie liep. 'Het zou dus kunnen zijn dat een van ons door mag en de ander niet...'

'Ja.' Florine zuchtte.

Er werd gefloten en de teams liepen het veld op.

Julia stak haar hand uit naar Florine. 'Ik hoop dat we allebei winnen...'

Florine beet haar bitje bijna kapot van de spanning. Dit was de meest beslissende wedstrijd uit haar leven tot nog toe. Ze hadden nu al zo'n kwartier gespeeld en Florine voelde de vermoeidheid in haar benen. Ze had ook slecht geslapen vannacht. En ze waren al zo lang aan het spelen! Ze kreeg de bal en speelde hem gelijk door naar Solange, die ook moest spelen.

Julia was fanatiek, zag ze, en had al drie keer gescoord. Die leek geen last te hebben van vermoeidheid.

Langs de lijn stonden, naast ouders, ook de vier mensen van de YSTA, fanatiek aantekeningen makend op een papier. Ze overlegden zo nu en dan met elkaar en gebaarden dan naar een of andere speler.

'Let nou op,' siste iemand die op haar af rende. 'Je mist de bal!'

Florine keek geschrokken op en begon mee te rennen met de jongen naast haar.

Hij speelde de bal over. 'Hier! Naar het middenveld, dat is bijna leeg.'

Maar Julia had haar gezien en kwam hard aangerend om de bal af te spelen.

Duwend tegen elkaar probeerden beide vriendinnen de bal te krijgen en te houden. Julia dreigde te winnen, maar opeens liet Florine zich kermend op de grond zakken en ze greep naar haar enkel. Julia rende met de bal weg, tot er gefloten werd.

Pim kwam het veld op. Er waren vandaag niet echt scheidsrechters geweest, de mensen van de YSTA hadden de wedstrijden gefloten.

'Wat is er gebeurd?' Pim liep snel op Florine af, die inmiddels omringd werd door spelers. Julia kwam teruggerend en stak haar hand uit naar Florine om haar omhoog te helpen.

Maar Florine bleef liggen en greep met een pijnlijk gezicht naar haar enkel. 'Zij sloeg me keihard met haar stick op mijn enkel omdat ze de bal wilde hebben...' zei ze verbeten.

'Hè?' riep Julia uit. 'Dat is niet waar. Flo, ik heb je niet geraakt, ik raakte alleen de bal!'

Pim zat inmiddels gehurkt en voelde voorzichtig aan Florines enkel.

Ze kermde en probeerde zijn hand weg te duwen. 'Auauau...'

'Kun je proberen te staan met mijn hulp? Dan kun je naar de kant en kunnen we je enkel bekijken.'

Florine knikte en met hulp van Pim en een andere speler stond ze op. Ze hield haar voet omhoog en hinkte, ondersteund, naar de zijkant, waar haar ouders bezorgd stonden te wachten.

De wedstrijd werd even stilgelegd, terwijl Florines voet voorzichtig uit haar schoen getrokken werd.

'Au!' zei Florine.

Aan de enkel was echter weinig te zien.

'Hm, kan best dat het diep van binnen zit...' mompelde haar vader. 'Hopelijk geen scheurtje of zo... Laten we even kijken hoe het gaat. Leg je voet maar wat hoger, ja zo, en dan even kijken of hij toch gaat opzwellen. Hoe gebeurde dat nou?'

Florine keek naar haar voet. 'Ik had de bal en Julia probeerde hem weg te spelen en toen ik hem weg wilde slaan, sloeg ze met haar stick tegen mijn enkel.'

'Dat is niet waar,' riep Julia nu. 'Florine, ik heb je helemaal niet geraakt!'

'Jawel, je zag dat ik weer balcontrole kreeg en je wilde me tegenhouden...'

'Wat onsportief,' zei Florines vader en hij keek Julia fronsend aan.

'Maar het is niet waar!' Julia werd langzaam roder. Ze keek Florine boos aan.

Pim streek door zijn haren. 'Dan ga jij nu de wedstrijd uit,' zei hij tegen Julia, 'want dat is inderdaad onsportief. Bij de YSTA hechten we erg aan sportiviteit.'

'Maar ik deed helemaal niets!' riep Julia uit.

Ze had tranen in haar ogen gekregen, zag Florine, die nog eens naar haar enkel greep.

'Ik wil het er op dit moment niet over hebben. Jij gaat op de tribune zitten, bij de rest. We beslissen later wat we met jou doen. Voor nu spelen we verder met zeven tegen zeven.' Pim draaide zich om en liep het veld op. Hij floot dat iedereen weer op zijn plek moest gaan staan.

'Flo...' Julia had zich omgedraaid en keek Florine smekend aan.

Florine schrok van de blik in haar ogen en keek weg.

'Ik heb je niet geraakt, dat weet je best...'

Florine schudde haar hoofd. 'Je raakte me heel venijnig op mijn enkel. Alleen omdat je zo nodig zelf weer wilde laten zien hoe goed je bent... Nu heb je mijn kansen verpest.'

Julia zweeg en bleef even staan. Toen draaide ze zich abrupt om, nagekeken door Florine.

Julia gooide haar stick op de grond en ging op de tribune bij de andere kinderen zitten. Sommige keken haar afkeurend aan, andere haalden hun schouders op.

'Tsss,' hoorde ze achter zich, 'dat hadden we kunnen verwachten. Misselijkmakend gedrag en dan ook nog je vriendin een loer draaien. Bah! Alleen maar om te verdoezelen dat je niet genoeg talent hebt... Weet je nog dat ze mij met een stick sloeg bij die wedstrijd bij hen? Zij kan gewoon niet tegen haar verlies... Ordinair, hoor!'

Julia haalde diep adem. Ze weigerde zich om te draaien naar Eugenie en negeerde de opmerking.

Ze begreep er niets van, ze wist honderd procent zeker dat ze Florine niet geraakt had. Waarom deed Florine dan alsof dat wel zo was?!

De rest van de wedstrijd bleef ze diep in gedachten verzonken. Stel dat ze niet door mocht vanwege dit incident? Wat dan? Ze was zo ver gekomen... Ze knipperde met haar ogen.

Drie kwartier later zat iedereen in de kantine. Op de achtergrond klonk de nieuwste hit van Rihanna. Iedereen kletste wat met elkaar. Julia zat achteraan. Ze probeerde steeds maar oogcontact te krijgen met Florine, maar die zat met haar rug naar haar toe, haar been voor zich op een andere stoel.

'Hoi.'

Ze draaide zich om naar Philip en glimlachte flauwtjes. 'Hoi.'

'Balen van daarnet, dat je eruit gestuurd werd. Dat was ook niet echt slim natuurlijk,' zei Philip, maar hij klonk niet alsof hij haar beschuldigde.

'Ik deed niets. Maar dat gelooft toch niemand.' Julia keek peinzend naar Florine. 'Ik weet niet waarom ze dit doet... Ze is mijn beste vriendin en ik weet zeker dat ik haar niet geraakt heb. Ik sloeg de bal...' Ze begon te twijfelen. Hoe ze er ook over nadacht, ze dacht zeker te weten dat ze de bal had geraakt, maar misschien had ze zich vergist en toch Flo geraakt... Waarom zou die anders zo'n pijn hebben?

'Dames en heren!' Pim klapte in zijn handen. 'Dit is het moment waarop jullie hebben gewacht... We gaan bekendmaken welke spelers voortaan onder begeleiding van Jacomijn Belting mee mogen trainen bij de YSTA!'

Er klonk gejuich. Een paar meisjes hielden elkaar vast en knepen elkaars handen fijn.

Zo hadden zij en Florine ook moeten staan... Julia voelde zich erg eenzaam op dit ogenblik.

Florine had haar moeders hand vast en keek nog steeds niet naar Julia. Haar moeder zei iets tegen Florine en lachte even bemoedigend.

'De kinderen die op de tribune zaten bij de laatste wedstrijd, zijn natuurlijk al door. Van de andere zestien moesten er nog zes afvallen. En jullie weten: dat wil niet zeggen dat je niet getalenteerd bent! Maar daar hebben we het al over gehad en we gaan er geen drama van maken. Als ik je naam noem, ben je niet door.'

'Geoffrey, Sabine, Florine, Suzette, Harold...'

Julia hield haar adem in. Haar naam was nog niet genoemd... Florine wel. Ze keek snel naar Florine, die met gebogen schouders getroost werd door haar moeder. Wat rot voor Florine. Ze voelde haar hart in haar keel kloppen.

'...en de laatste die helaas niet door is...'

9

Julia duwde haar spaghetti rond op haar bord. Mam gebaarde dat ze door moest eten en begon Vlinders spaghetti te snijden.

'Dus ben je nou wel of niet door?' vroeg Nick en hij strooide nog wat kaas over zijn eten.

Julia haalde haar schouders op. 'Dat hoor ik dan nog.'

'En je weet zeker dat je Florine niet per ongeluk geraakt hebt?' Mam keek haar aan.

Julia slikte. 'Weet ik veel! Ik dacht van niet, maar misschien vergis ik me wel. Als ik haar raakte, was het in ieder geval niet expres. Flo denkt van wel...'

Ze dacht terug aan die middag, toen de laatste naam genoemd werd.

'...Gabriëlle.'

Julia had om zich heen gekeken. Haar naam was niet genoemd! Zij was door. Ze had Philip aangekeken en wilde juist omhoog springen, toen haar naam alsnog genoemd werd.

'Julia Smit? Wil je even hier komen?' Pim had haar gewenkt.

Met kloppend hart was ze naar hem toe gegaan. Overal om

haar heen gilden kinderen opgewonden dat ze door waren. Andere werden getroost omdat ze niet door waren. Florine werd toegesproken door haar vader en moeder.

'Julia, we winden er geen doekjes om. In principe zou je door zijn, maar je onsportieve uithaal van vanmiddag rekenen we je zwaar aan. Bij de YSTA staat sportiviteit hoog op de agenda, juist omdat we goede spelers willen die het niet van onsportief spel moeten hebben. Dus wij gaan ons nog beraden over jouw positie, of je wel of niet door mag. In de loop van deze week hebben we een vergadering en daarna zullen we je bellen.'

Julia had geslikt. 'Maar ik... ik heb haar echt niet geraakt...' had ze gemompeld.

'En met het ontkennen ervan kom je echt niet verder. We houden ook van eerlijkheid.'

Julia had haar hoofd gebogen.

'Je bent echt een getalenteerde speler. Je had wat ons betreft al gelijk op de tribune mogen gaan zitten, maar omdat we twee teams van acht spelers moesten hebben, hebben we je laten meedoen. Jij was niet een van de speelsters over wie we twijfelden, maar nu wel...'

Julia had tegen haar tranen gevochten.

'Dus je hoort deze week van ons, oké?' Pim had milder geklonken en ze had zwijgend geknikt.

Daarna was ze weggegaan. In het voorbijgaan was ze langs Florine gelopen, dat kon niet anders. Ze was even gestopt en had Florine aangekeken. Die keek vooral erg teleurgesteld dat ze niet geselecteerd was en leek te schrikken van Julia's verschijning naast zich.

'Ik was door geweest,' had Julia gefluisterd, 'als jij niet gezegd had dat ik je expres op je enkel sloeg. En jij en ik weten allebei dat dat niet waar is...'

Florines moeder had omhooggekeken. 'Julia, dat is erg flauw. Flootje heeft niet voor niets pijn en ik snap dat jullie allebei erg teleurgesteld zijn, maar dit is niet de manier om dat af te reageren!' zei ze gepikeerd.

'Ik hou er niet van om erin geluisd te worden...' Julia hield haar blik strak op Florine gericht. Die kleurde rood.

'En wat je enkel betreft: toch raar dat er niet één blauwe plek te zien is en dat hij ook niet opgezwollen is, Florine, vind je ook niet?' En met die woorden was Julia, haar rug recht, weggelopen om naar huis te gaan.

Ze had nog net gehoord hoe Florine had gekermd: 'Wat misselijk van haar... au... mijn enkel!'

Nick nam een slok water en boerde hard. Vlinder barstte in lachen uit en mam keek hem bestraffend aan.

'Nick! Dus nu is het wachten tot je gebeld wordt. Tja, dat is wel lastig voor je. Jammer dat het zo gelopen is. Hoe doe je dat nu met Florine? Moet je haar niet even bellen om te vragen hoe het met haar enkel is?'

Maar Julia schudde fel haar hoofd. 'Nee! Mam, als zij niet gelogen had, dan was ik sowieso door geweest, maar nu denkt iedereen dat ik onsportief en oneerlijk ben. En dat ben ik niet, mama, dat weet jij ook.'

Haar moeder knikte. 'Ik geloof je ook. Ik weet alleen niet zo goed wat je hiermee moet. Misschien heb je gelijk, laat het maar rusten. Dan zie je maandag op school maar verder. Goed, wie wil er straks wat vla? En vanavond kijken we lekker naar een film met elkaar, ik heb een leuke romantische comedy gehuurd!'

'Romantisch? Mam, serieus! Ik ben een jongen, ik hou niet van romantische films!' riep Nick uit.

'Maar het is ook een comedy. Dus kijk nou maar gezellig mee. Alleen voor de kijkers heb ik een appelflap,' knipoogde ze en zelfs Julia moest even lachen om Nicks verongelijkte gezicht.

Het was zondagochtend in huize Van Senhoven. De dag dat ze allemaal uit konden slapen. Florine draaide zich nog even om en staarde naar het behang op haar muur. Boven haar hing een prikbord en ze keek naar de kaarten, bioscoopkaartjes, knipsels en alle andere dingen die erop geprikt zaten. Ze keek ook naar de foto van haar en Julia. Genomen in een fotohokje van een warenhuis. Ze hadden allebei een gek gezicht getrokken en omhelsden elkaar. Julia had erop geschreven met een stift *Best Friends Forever! I ♥ you.*

Ze vroeg zich af of ze ooit nog samen dat soort foto's zouden maken, na gisteren...

Ze was zó teleurgesteld dat ze niet gekozen was voor trainingen bij de YSTA, maar diep van binnen had ze wel geweten dat ze niet geselecteerd zou worden. Er waren zo veel betere spelers bij dat het een wondertje was geweest als ze er wel bij gezeten had. Pap en mam hadden haar direct op het hart gedrukt dat het niet erg was, dat ze het super vonden dat Florine al zo ver gekomen was. En pap had gezegd dat als Florine niet geblesseerd was geraakt 'door die misselijke streek van Julia', ze misschien nog wel een kans had gehad. Tja, en toen met die enkel...

'Flo!' Onder aan de trap hoorde ze mam roepen. 'Kom je? Ik heb eitjes gebakken!'

Lekker! Florine gooide haar dekbed van zich af, trok een joggingbroek aan en liep naar beneden. Ze rook de eieren al en hoorde Harriët en pap in een geanimeerd gesprek over een liedje op de radio.

'Goedemorgen.' Ze aaide Bryson even over zijn vacht en ging op haar plek aan de eettafel zitten. 'Mmm, heerlijk mam, eitjes!'

'Heb je lekker geslapen?' Mam schoof met een spatel voorzichtig een ei op Florines bord.

'Ja. Ik was zo moe na al die wedstrijden. Ik sliep geloof ik al voordat ik mijn kussen raakte.' Ze sneed voorzichtig een stuk brood met ei af.

Mam ging zitten en pap schonk koffie voor haar in.

Harriët mocht eindelijk ook gewoon op en zat voor het eerst in ruim een week weer gezellig aan de ontbijttafel. 'Goh, dit heb ik wel gemist. Ontbijt op bed is leuk, maar niet een hele week lang en zeker niet als het verplicht is!' Ze pakte de hagelslag en bestrooide een boterham.

'O, nou ben ik de melk vergeten...' zei mam en ze wilde meteen opstaan.

'Laat mij maar.' Florine liep naar de ijskast om de melk te pakken. 'Jij hebt al die lekkere eitjes gebakken.' Ze ging weer zitten.

Mam keek haar peinzend aan en schonk toen melk in.

'Jammer Flo, van gisteren,' begon Harriët.

'Ja, ach, er waren gewoon heel veel kinderen die zo ontzettend goed waren! En misschien mag ik er volgend jaar wel in. Al baal ik natuurlijk wel. Ik had het super gevonden om met Jacomijn Belting te mogen spelen.' Florine nam een hap van haar brood. 'En als ik niet op mijn enkel geraakt was, had ik misschien nog een kans gehad om te laten zien wat ik kon. Dus eigenlijk is het niet eens mijn eigen schuld.'

'Hoezo zou het je eigen schuld zijn? Die scouts kiezen toch? Daar heb je niet veel over te zeggen...' Harriët veegde wat hagelslagjes weg van de tafel.

'Ja, maar als Julia haar niet op haar enkel geraakt had, had Florine misschien nog wel een doelpunt gemaakt. Of een hele mooie actie kunnen laten zien. En dan was ze misschien alsnog geselecteerd.' Pap keek bedenkelijk. 'Maar dat zullen we nu niet meer weten.'

'En Julia?' Harriët keek naar haar zusje. 'Is zij door?'

'Ja, hoe zat dat nou?' vroeg hun vader. 'Ze werd opeens bij die man geroepen en daarna vertrok ze.'

Florine haalde haar schouders op. 'Geen idee. Volgens mij is ze nog niet definitief door. Tja, ze was natuurlijk in eerste instantie al niet geselecteerd.'

'Omdat ze in Disneyland zat...' zei mam langzaam.

Florine voelde dat ze warm werd. Haar moeders stem was een toon lager dan normaal. Dat betekende dat ze zich ergens druk over maakte.

'Ja ja, dat is waar. Maar toch, ze was niet gelijk geplaatst,' stamelde Florine.

'Nee. Alhoewel ze wel erg veel talent heeft. Dat meisje kan het nog ver schoppen.' Mam stond op en zette haar bord op het aanrecht. 'Goed, ik ga lekker douchen. Als jullie allemaal even je eigen spullen wegzetten...' Ze bleef even hangen bij de deuropening.

Florine stond op en zette haar bord naast dat van haar moeder neer. 'Mag ik dan even achter de computer op MSN?'

'Ja hoor. Maar eerst aankleden.' Mam keek haar aan.

'Is goed!' Pfieuw, dacht Florine en ze sprintte langs haar moeder. Even geen moeilijke vragen meer over gisteren. Die dag wilde ze het liefst zo snel mogelijk vergeten.

Ze was al halverwege de trap, toen mam iets tegen haar zei. Ze draaide zich om. Mam stond onder aan de trap peinzend naar haar te kijken.

'Wat zei je?' Florines hart begon sneller te kloppen. Wat had haar moeder nou toch allemaal?

'Ik vroeg aan je of je nog veel pijn en last had van die harde klap gisteren, die je van Julia kreeg...'

'Eh... een beetje...' Florine slikte.

'Raar. Je loopt als een kievit.' Mam keek haar recht in haar ogen en draaide zich toen om. 'Dat is erg snel genezen...'

Julia keek van onder haar wimpers naar Florine, die schuin tegenover haar zat in de klas.

Florine zat verzonken in haar rekenboek. Ze had 's ochtends nauwelijks iets tegen Julia gezegd. En Julia had haar zo goed als ze kon genegeerd.

Wel viel het haar op dat Florine niet langer hinkte of pijn leek te hebben. En dat terwijl ze zaterdag toch echt had gereageerd alsof ieder botje in haar voet gebroken was. Blijkbaar was daar nu niets meer van te voelen, dacht Julia bitter.

Ze had nog niets gehoord van de YSTA. Maar als ze eerlijk was tegen zichzelf, wist ze best dat ze niet meer welkom was. Want ze geloofden haar toch niet en het was waar dat Julia fel kon zijn in haar spel.

De bel ging en het was pauze. Julia treuzelde nog wat achter haar tafel en keek hoe Florine opstond en met Emma naar de deur liep. Ze keek even naar Julia en draaide haar hoofd abrupt om.

Bah, dacht Julia verdrietig en ze slikte de brok in haar keel weg. Niet alleen was ze hoogstwaarschijnlijk niet geselecteerd voor de YSTA, ze leek ook nog eens haar beste vriendin kwijt te zijn. Ze zuchtte, pakte haar appel en liep met Ilona naar buiten.

'Heeft er al iemand gebeld?' vroeg ze die middag direct bij thuiskomst.

Haar moeder werkte tot drie uur in het ziekenhuis. Soms draaide ze nachtdiensten, maar dat kwam zeer zelden voor sinds papa's overlijden, omdat ze hen niet zomaar een nacht alleen wilde laten.

Mam schudde haar hoofd. 'Nee. Je zult geduld moeten hebben.' Ze keek even door de post. 'Hoe was het met Florine vandaag?'

Julia liet haar schouders zakken. 'We hebben niet met elkaar gepraat. Ik weet niet wat er is. Ze leek in ieder geval geen pijn meer te hebben. Typisch...'

'Wat bedoel je daarmee?' Mam keek haar belangstellend aan.

'Nou... ik weet vrij zeker dat ik haar niet geraakt heb. Maar ze deed alsof ik er met een honkbalknuppel op had staan slaan!'

'Enkelblessures kunnen erg veel pijn doen,' zei haar moeder. 'Dat weet je wel als je je enkel een keer goed hard stoot tegen de poot van de tafel of zo.'

'Precies. Dat kan erg veel pijn doen,' zei Julia nadenkend. 'Maar als je je enkel stoot, heb je daar een blauwe plek. Of ten minste een rode plek. En als je er een stick tegenaan krijgt, nou, dan wordt hij echt wel dik, hoor...'

'En?'

'Bij Florine was niets te zien. Ze liep vandaag ook weer helemaal gewoon. Alsof er nooit iets gebeurd was. En dat klopt, er is nooit iets gebeurd. Ik heb haar niet geraakt. Maar dat gelooft natuurlijk niemand.' Julia liet zich op een stoel zakken.

Haar moeder ging tegenover haar zitten en keek Julia peinzend aan. 'Waarom zou Florine willen doen alsof ze geraakt was?'

'Weet ik niet. Ik denk dat ze niet gekozen zou zijn, ook niet als ze geen 'blessure' had gehad. Ach, ik weet het niet.'

'Juultje,' mam leunde voorover en pakte haar hand, 'voor wat het waard is: ik geloof je wel.'

Julia keek haar moeder dankbaar aan. Niet dat ze er echt veel aan had, maar het was toch fijn dat er ten minste één iemand was die haar geloofde!

10

'Spreek ik met meneer Pim Houten?' vroeg Florine met een klein stemmetje door de telefoon.

'Ja, daar spreek je mee. Wat kan ik voor je doen?' klonk het aan de andere kant.

Florine was o zo blij dat hij haar nu niet kon zien, met haar betraande rode ogen en haar handen die ritmisch bibberden. 'Nou ik, eh...' Ze keek naar haar moeder, die haar fronsend aankeek. 'Ik ben Florine van Senhoven, ik was zaterdag bij de wedstrijd van de YSTA, op HC Yellow...'

'O ja, nou weet ik het weer. Jij was dat meisje dat geblesseerd raakte door die slag. Hoe is het met je?'

'Prima,' zei Florine en ze slikte.

'Jammer dat je daardoor eerder uit de wedstrijd moest.'

'Eh... ja, nou, daar bel ik dus over. Over die overtreding van Julia. Dat meisje dat tegen mijn enkel sloeg...'

'Ja, die naam weet ik nog wel,' bromde de man. 'Ik moet haar vanavond bellen. Jammer, ze heeft echt talent...'

Florine beet op haar lip. Als hij dat zo zei, betekende het dat ze Juul zouden bellen om te zeggen dat ze niet meer welkom was bij de YSTA. 'Ja, dat heeft ze zeker, ze is een van onze beste speelsters.' Florine frunnikte aan de knopen van haar jeans.

'Ja, jammer van zo'n meisje, maar waar bel je eigenlijk voor?' De man begon wat ongeduldig te klinken.

Verdorie, dit was zo moeilijk... Ze keek weer naar mam, die waarschuwend terugkeek.

Florine haalde diep adem. 'Ze heeft me niet tegen mijn enkel geslagen. Dat had ik verzonnen, omdat ik jaloers was en hoopte dat zij daardoor ook niet verder zou komen...' Zo, dat was eruit. Haar stem trilde.

Het was even stil aan de andere kant van de lijn. 'Wat zeg je nou?'

'Dat Julia mij helemaal niet raakte. Dat ik deed alsof...' Jee, het klonk echt afschuwelijk nu ze het allemaal hardop zei. Hoe had ze zoiets stoms en gemeens kunnen doen bij haar beste vriendin? Ze kreeg opnieuw tranen in haar ogen en probeerde alles uit te leggen.

Nadat ze op had gehangen, keek ze haar moeder aan.

'Goed gedaan,' zei mam. 'Hopelijk heb je het hiermee rechtgezet, in ieder geval bij de scouts van de YSTA.'

Florine knikte en boog haar hoofd. Ze had zich zelden in haar leven zo geschaamd.

Toen mam zondag onder aan de trap had gestaan en opeens had gezegd dat het verbijsterend was hoe snel Florines blessure over was gegaan, had ze zich zo enorm betrapt gevoeld.

Mam was haar achternagelopen en had in de deuropening van Florines kamer gestaan. 'Ik twijfelde gisteren al, toen Julia zo diep en diep verontwaardigd bij ons kwam staan,' had ze gezegd. 'Ik ken Julia niet zo goed als jij, maar ze lijkt me altijd wel recht door zee. En ze had gelijk, er is niets aan je enkel te zien. Dus wil ik graag de waarheid van je weten: heeft Julia je gisteren wel of niet op je enkel geraakt?'

Liegen had geen zin meer gehad. Florine had overal rode vlekken gekregen, ze was gaan stotteren en had ten slotte bedeesd toegegeven dat ze gelogen had.

Mam had het zwijgend aangehoord. 'Florine van Senhoven, dit valt me vies tegen. Julia is een van je beste vriendinnen en niet alles in het leven zit haar mee. En dan doe jij dit? Waarom?'

En Florine had geprobeerd het uit te leggen. 'Ik was jaloers. Zij was in eerste instantie niet eens geselecteerd omdat ze in Parijs zat. Misschien was ik niet gescout als zij er wel was geweest, want ze is echt beter dan ik, maar nu had ik opeens een voorsprong in iets met hockey. Was ík gescout en niet Julia Smit. En toen ze toch op die informatieavond verscheen, had ik vreselijk de pest in, want er waren al meer kinderen gescout dan dat er plaatsen bij de YSTA waren. Als Julia iets wil, lukt het haar vaak ook. En ze leek er niet aan te denken dat ik dan misschien minder kans maakte. Het was net alsof ze niet kon geloven dat ik wel gescout was en zij niet. En als Julia mee zou doen, zou zij zeker een van die plaatsen krijgen en ik niet...'

Mam had zwijgend op Florines bed gezeten en naar de Justin Bieber-poster op haar deur gestaard. 'Ik ga toch even nadenken wat we hiermee aan moeten. Dit kan ik niet op zijn beloop laten. Door wat jij gedaan hebt, heb je misschien wel Julia's mogelijkheden om verder te komen met hockey verpest. En dat kan ik niet laten gebeuren. Ik kom erop terug en ga het nu met je vader bespreken.'

Haar vader was woest geweest. Hij had Florine de rest van de dag genegeerd en aan het einde van de middag was ze bij haar ouders geroepen.

'Om het recht te zetten, ga jij morgen eerst de YSTA bellen en uitleggen wat je gedaan hebt. En daarna zul je het ook tegen Julia moeten vertellen. We vragen ons af of ze nog wel bevriend met je zal willen zijn...' Haar moeder had Florine streng aangekeken. 'Begrepen?'

Ja, Florine had het begrepen. En met een steen in haar maag had ze Pim Houten van de YSTA gebeld om alles uit te leggen.

Nu staarde ze naar de vloer voor zich. Morgen zou ze met Julia gaan praten. En dan maar hopen dat de vriendschap niet voor eeuwig verpest was...

'Het is voor jou.' Nick liep met de telefoon de slaapkamer van Julia in.

Ze lag op bed wat te lezen en pakte de telefoon met een bonkend hart aan. 'Hallo, met Julia.'

'Dag Julia, je spreekt met Pim Houten van de YSTA.'

'Dag...' Julia ging rechtop zitten en haar hart ging zo snel dat ze het bijna door haar borstkas heen zag slaan.

'Ik bel je om te zeggen dat je welkom bent bij de YSTA. We zien je graag op de eerste training van aanstaande vrijdag.' Hij klonk vriendelijk.

Julia hapte naar adem. Ze had het vast niet goed gehoord.

'Eh... vrijdag? Training?' herhaalde ze langzaam.

'Ja, en het lijkt erop dat ik je mijn excuses aan moet bieden over het incident van afgelopen zaterdag. Je had niets gedaan, ik had misschien iets meer naar jouw kant van het verhaal moeten luisteren.'

'Hoe... hoe weet u dat ik niets heb gedaan?'

'Florine van Senhoven heeft me gebeld en alles uitgelegd. Sorry. Maar we zien je dus heel graag vrijdag, om half acht. Tot dan!'

Julia bleef nog lang met de hoorn in haar hand zitten en staarde naar buiten. Ze zat erbij. Ze zat bij de YSTA! Zij, Julia Smit, ging het helemaal maken! Maar ze was ook een vriendin kwijt, want hoe zou ze Florine ooit nog aan kunnen kijken zonder te denken aan wat Flo had gedaan? En dat maakte dat de blijdschap een klein zwart randje kreeg, alsof het een lekkere taart was met één klein beschimmeld plekje.

'Fijn dat jullie er zijn.' Jacomijn stond met haar handen in haar zij en keek de groep aan.

Naast haar stond een jonge man.

'Dit is Floris, hij zal de trainingen doen als ik er niet ben. Nog even een voorstelrondje, want ik ben jullie namen alweer vergeten, sorry!'

Alle kinderen stelden zichzelf voor en vertelden erbij van welke club ze kwamen.

'Nou, dat is een leuke mix van spelers.' Jacomijn ritste haar jack open. 'We gaan eerst even warmlopen en daarna doen we twee partijtjes zes tegen zes. Dus twaalf spelers op dit deel van het veld, twaalf op de andere helft van het veld. Floris en ik willen graag jullie speltechniek bekijken, ik zal aantekeningen maken en je daarna tips geven. Eerst maar eens even rennen. Vier rondjes rond het veld, kom op!'

Julia begon te lopen.

'Wat goed dat je er ook bij bent!'

Ze hoorde Philips stem naast zich en draaide zich even om. 'Ja, echt super!' Ze had besloten om niets te zeggen over Florines leugens. Als iemand haar ernaar zou vragen, zou ze vertellen hoe het zat en anders had ze geen zin om erover te beginnen. De hele week had Florine geprobeerd om met haar te praten en ze was overdreven aardig geweest, maar het was Julia meestal gelukt om haar te ontlopen. Ze had helemaal geen zin in Florine van Senhoven. Ze was in de loop van de week steeds bozer op Flo geworden en wist niet goed hoe ze dat moest uiten. En dus ontweek ze Florine zo veel mogelijk en had aan juf Nicolette een andere plaats in de klas gevraagd. De juf had haar in een ander werkgroepje geplaatst.

'Ik kon je helemaal niet vinden op MSN of Hyves. Er waren ik-weet-niet hoeveel Julia Smits!' Philip lachte. 'Gelukkig dat ik je weer gevonden heb dus.'

Julia probeerde het rare gevoel in haar buik te negeren terwijl ze naast hem rende. Dus hij had geprobeerd om haar te zoeken op internet... 'Wist trouwens niet dat jij in Waerdeloos speelde,' floepte ze eruit.

'Bij Waerdeloos? Ha ha!' Philip begon te lachen. 'Zo heeft nog niemand het durven noemen!'

Julia werd dieprood. 'O, sorry! Ik bedoelde natuurlijk helemaal niet Waerdeloos. Ik...' Ze kon zichzelf wel voor haar kop slaan. Wat moest hij wel niet van haar denken?

'Laat maar, joh. Ik vind het wel grappig gevonden. Maar we zijn niet waardeloos, hoor. Anders waren we hier niet.'

Opeens werd ze opzij geduwd. 'Hé!' zei ze gepikeerd, toen Eugenie tussen haar en Philip begon te rennen.

'Sorry,' zei Eugenie, 'maar ik wilde even wat met Phil bespreken.'

Phil? Julia blies haar wangen bol en liet toen langzaam de lucht eruit.

'Ga jij morgenavond ook naar dat feestje van Maarten?' vroeg Eugenie.

'Ja, denk het wel.' Philip keek even opzij.

'O, super. Zullen we samen gaan?'

Julia wachtte het antwoord niet eens af. Ze versnelde haar pas en ging een paar meter voor Philip en Eugenie lopen.

Na de wedstrijdjes riep Jacomijn hen bij elkaar. 'Nou, dat was niet slecht. Jullie hebben allemaal je sterke kanten. Ik heb wat dingen opgeschreven. Solange, jij bent heel sterk in de verdediging, net als Wouter. Stijn, Julia en Eugenie, erg goede aanvallers! Daantje, prima middenvelder! Uitstekend balgevoel.' Zo ging Jacomijn door tot ze iedereen benoemd had.

'Wat ik in de volgende trainingen wil, is jullie sterke punten nóg sterker maken en je zwakke punten verbeteren. Dat betekent dat jullie in kleinere groepjes extra technieken aangeleerd krijgen op je sterke punten en dat we daarna steeds met elkaar trainen om je allround te maken.'

'Dus,' zei Eugenie, 'als ik het goed begrijp, moet ik met Stijn en Julia gaan trainen?'

'Ja, goed begrepen,' knikte Jacomijn.

'Nou, daar ben ik mooi klaar mee...' mompelde Eugenie zacht.
'Wat zei je?' vroeg Jacomijn.
'Dat ik dat mooi vind,' riep Eugenie.
Achter haar proestte Philip het uit.
'Nou, dat was het voor deze keer. Ik zie jullie over twee weken weer, volgende week dus training van Floris. Veel plezier in je eigen wedstrijden dit weekend. En kijk uit voor blessures!'

Julia pakte haar fiets en reed weg.
'Wacht! Julia!'
Ze stopte en keek om.
Het was Philip. 'Solange en ik gaan nog even een ijsje halen verderop. Ga je mee?'
Julia keek op haar horloge. Het was bijna negen uur. Mam verwachtte haar om half tien weer thuis. 'Oké,' mompelde ze en ze stapte weer op haar fiets om achter hem en Solange aan te rijden.
'Joehoe!' hoorde Julia achter zich. 'Wacht even. Ik ben nog niet zover.'
Julia haalde diep adem. Ze wist niet dat Eugenie ook mee zou gaan. Opeens had ze geen zin meer in ijs. 'Ik denk dat ik toch naar huis moet,' zei ze.
Eugenie was inmiddels naast haar komen staan met haar fiets in haar hand. 'Och, jammer. Kom, dan gaan we!' Eugenie klonk helemaal niet alsof ze het jammer vond dat Julia er niet bij zou zijn. 'Dag, Julie!'
Solange beet op haar lip en keek van Julia naar Eugenie. 'Nou... weet je het zeker?' vroeg ze aan Julia. 'Ik bedoel, je zou misschien toch even snel mee kunnen gaan? Een ijsje is zo gegeten...'

'Als Julie naar huis moet, moet je haar niet tegen willen houden, Sol. En misschien heeft ze wel geen geld bij zich.' Eugenie keek op haar horloge. 'Kom, gaan we nou?'

'Ik trakteer anders wel, hoor,' zei Philip nog, maar Julia was alweer op haar fiets gestapt.

'Het is Juliá!' zei ze nijdig tegen Eugenie en ze keerde haar fiets. 'Doei.' Ze stapte op en trapte hard door, het parkeerterrein af en het fietspad op. Wat een kapsones had die Eugenie, zeg. Bah!

11

Julia's moeder leunde tegen het aanrecht. Ze keek op de klok en nam een slok koffie. 'Oké, ik moet over een uurtje op het clubhuis zijn. Juul, hoe laat speel jij?'

Julia nam een hap van haar boterham. 'Half elf op veld vier. Tijd genoeg.'

'En tegen wie?'

Julia dacht even na. 'O ja, Push It. Die zijn wel erg goed...'

'En Nick? Jij moet vanmiddag geloof ik uit tegen Zeeland, toch?'

'Yep. Gaan we winnen, hoor! Die club staat ergens in het midden en wij bovenaan.' Nick keek glimlachend op van zijn mobieltje. Sinds een paar dagen keek hij opvallend vaak op zijn telefoon. 'Jammer dat we nu weer een keer op een zaterdag moeten spelen, want nu kunnen jullie niet mee.'

'Zeker jammer, ja. Nou goed, Vlindertje gaat naar Jelle,' zei mam. Jelle was een jongetje uit de klas van Vlinder en hij woonde drie deuren verderop. 'Dan is de zaterdag alweer gevuld. Dus het was leuk gisteren, met Jacomijn?'

Julia knikte enthousiast. 'Het was geweldig, mam. Ik denk dat ik daar mega veel ga leren. We worden afwisselend getraind door Floris en Jacomijn. En er zitten kinderen bij die zo ontzettend goed kunnen spelen...' Ze zuchtte tevreden, als een kat die net een bakje melk had gekregen.

'En met Flo? Is de lucht al geklaard met haar?'

Julia trok een gezicht. 'Nah. Ik heb even geen zin in Florine, mam. Laat maar even.'

Mam keek haar peinzend aan. 'Maar je bent al zo lang bevriend met haar... al sinds jullie als kleine meisjes bij de benjamins speelden. Is dat niet enorm jammer?'

Julia zuchtte. 'Ja. Maar ik hoef geen vriendin die mij zo belazert.'

Mam knikte bedachtzaam. 'Nou, weet je, laat inderdaad maar even rusten. Maar misschien is het handig om haar versie ook nog eens aan te horen. Weet je, ik denk dat Florine thuis vaak onder druk staat. Zo'n echt hockeygezin. En Harriët speelt geweldig goed... Ik denk dat Florine eindelijk eens wilde laten zien dat zij dat ook kon. Dat ze daarom zoiets heeft gedaan, een soort wanhoopsdaad.'

Julia draaide met haar ogen. 'Kan wel zijn mam, maar ik heb nu gewoon even geen zin meer in gedoe met Florine. Er zit bij de YSTA ook al zo'n meisje dat een hoop gedoe geeft en ik heb geen zin in nog meer...'

'Wie dan?'

'Ach, dat meisje, die Eugenie. Weet je nog een paar weken geleden tegen Waerdenburgh? Dat ik ruzie kreeg? Dat was met haar en zij zit ook bij de YSTA. Ik weet niet wat haar probleem is, maar ze doet vreselijk vervelend.'

'Nou, dat gaat lekker, juffie. Zo te horen heb je met iedereen bonje...' Mam keek haar verbaasd aan.

'Ja, ik weet het...' mompelde Julia.

'Zeg Nick, wat zit je nou naar je schermpje te turen de hele tijd?' Mam keek hem vragend aan.

Nick keek op met een rood hoofd. 'Eh... niets!'

'Jawel,' zei Julia plagerig. 'Volgens mij is Nick een beetje verliefd...'

'Niet!' Nick werd nog roder.

'Wel. En je krijgt natuurlijk zo nu en dan een sms'je van haar en dus staar je steeds maar naar je scherm om je berichten te checken.'

'Is dat zo, Nick? Hoe heet ze?' Mam keek hem glimlachend en nieuwsgierig aan.

Nick grijnsde schaapachtig. 'Ze heet Renate. En ze is echt superleuk. Ze zit in mijn klas. En voor jullie het vragen: nee, ik heb geen verkering. Maar wie weet...'

'Oe! Nick is in luf...' zei Julia zangerig en ze kon nog net het propje papier ontwijken dat hij naar haar gooide.

Het werd 2-2 tegen Push It. Julia en Florine hadden beiden als wissel op de bank gezeten tijdens het laatste kwartier. Het zonnetje scheen flauw, maar in de dug-out was het wel lekker warm achter het plexiglas van het hokje. Florine was middenveld geweest vandaag.

Middenveld

Speel je op het middenveld, dan kun je vaak aan de bal zijn. Als middenvelder is het je taak om de bal zo veel mogelijk van de tegenstander weg te spelen en je eigen spitsen aan te spelen. Je mag als middenvelder zowel verdedigen als aanvallen. Als je de bal hebt gespeeld naar een andere speler uit je team, moet je niet stil blijven staan. Door op een goede positie te gaan staan, vraag je als het ware om de bal.

Florine stroopte haar kousen even af. Het was warm en broeierig onder haar scheenbeschermers. Ze keek naar Julia, die het spel geboeid volgde. 'Hoe was de training trouwens, gisteren? Het was toch de eerste training?' vroeg ze. De hele week had ze al geprobeerd vriendelijk te doen, maar Julia reageerde er nauwelijks op. Niet zo heel gek, had Florine sip bedacht, zelf zou ze ook woedend zijn als iemand zo over haar had gelogen...

'Leuk, hoor.' Julia bleef geconcentreerd naar de wedstrijd kijken.

'Juul... het spijt me zo ontzettend!' Florine legde haar hand op Julia's arm.

Die keek naar de hand alsof het een vies insect was.

Florine trok hem terug.

'Zal wel ja.'

'Nee, echt! Echt waar. Ik... ik weet ook niet wat me bezielde en waarom ik dat deed. Nou ja, ik deed het omdat ik jaloers was. Jij hebt veel meer talent dan ik en nu was ik een keer gekozen en jij niet. En jij weet altijd veel beter wat je wilt en hoe je dat kunt krijgen. Ik baalde er al van dat je het voor elkaar had gekregen dat je ook nog een keer mee mocht spelen, die zaterdag. Had ik eindelijk eens iets wat jij niet had, regel je dat jij ook mee mag doen!'

'Ho, wacht even!' zei Julia fel en ze keek Florine aan. 'Hoezo heb ik eindelijk eens iets wat jij niet hebt? Wat bedoel je daar nou weer mee? Jij hebt veel meer dan ik! Jij woont in een supergroot huis, jullie gaan ieder jaar een paar keer op vakantie, je hebt altijd veel duurdere spullen dan ik en dan durf je nog te zeggen dat je eindelijk iets had wat ik niet had?' Julia's ogen spuugden vuur.

'Nee, maar zo bedoel ik het niet... Ik bedoelde op het gebied van hockey. Niemand zegt ooit eens een keer spontaan tegen mij dat ik zo goed speel, maar tegen jou wel... Ik zou wel willen dat ik dat ook had. Zo veel talent,' probeerde Florine uit te leggen.

Julia keek verbitterd naar het kunstgras voor zich. 'Dat is geen reden om zo te liegen...'

'Nee. Het spijt me. Ik had dat nooit mogen doen en ik snap heel goed dat je boos bent, maar ik hoop dat je niet boos blijft.' Florine haalde diep adem. 'Ik hoop dat je het me kunt vergeven, Juul.'

Julia zweeg. 'Misschien. Maar weet je, Florine, er is iets wat jij hebt en ik niet. En ik zou alles, al mijn talent, de YSTA, ruilen om dat weer terug te krijgen...' Ze keek Florine recht in haar ogen. 'Jij hebt een vader. Ik niet.'

Julia fietste tegen de wind in naar het hockeyveld.

'Koud hoor, vanavond!' Mam grijnsde en trapte naast haar op haar eigen fiets. 'Je moet er wat voor overhebben om je kind een toptalent te zien worden.'

Julia lachte. Mam had gezegd dat ze een keer mee wilde naar de YSTA-training, om kennis te maken met de coach en omdat ze de informatieavond ook al gemist had.

'Florine heeft haar excuses aangeboden...' Julia trapte nog wat harder.

'Terecht. Zijn jullie nu weer vriendinnen?'

'Ik weet het niet, mam. Ik heb nog wat tijd nodig denk ik, maar ik ben in ieder geval blij dat we weer met elkaar kunnen praten.' Ze liep nu samen met haar moeder naar het veld. 'Dat is Floris,' wees Julia, 'die geeft vanavond training. En Jacomijn Belting traint ons volgende week. Dat zijn Stijn, Wouter, Sofia en daar staan Eugenie, Solange en Philip.'

'Hé, zijn dat niet die twee meisjes van die club met wie jij toen ruzie had?'

Julia haalde diep adem en trok een gezicht. 'Waerdeloos. Ja. En ik had alleen ruzie met dat meisje met rood haar, Eugenie heet ze.'

'En die jongen?'

'Die is niet zo waardeloos,' lachte Julia en ze rende naar het veld.

'Jullie gaan leren scoopen,' zei Floris tegen Stijn, Julia en Eugenie. Hij deed het een paar keer voor. Daarna moesten ze alle drie met een bal aan de slag en ging Floris naar een ander groepje.

Scoop
Een scoop is een hoge bal vanuit een push. Alleen als je in een elftal zit, mag je scoopen tijdens een wedstrijd. Je pusht de bal dan snel en hard met een opwaartse beweging. Je mag ook scoren met een scoop, maar er zijn wel regels voor hoe hoog de bal mag gaan. Het mag niet gevaarlijk worden. Het is dus niet de bedoeling dat je, zoals bij golf, de bal enorm hoog de lucht in schiet!

Julia keek even naar haar moeder, die langs de kant over het hek geleund stond. Ze zwaaide en nam toen de bal aan van Stijn.

'Dat je je moeder meeneemt...' begon Eugenie. 'Tsss. Heeft jouw moeder op vrijdagavond niets beters te doen dan naar jou te kijken?'

Julia haalde diep adem. 'Mijn moeder vindt het toevallig leuk om mij te zien. Die van jou zit zeker op een of ander feestje voor snobs. Of ze is een cruise aan het maken met je pappie. Of ze ligt bij de schoonheidsspecialiste of zo.'

'Waar jouw moeder zo te zien nooit komt! En bij de kapper ook niet.'

Julia zag dat Eugenie helemaal rood werd en haar vol haat aankeek. Julia beet hard op haar lip. Ze moest zich enorm beheersen, maar het allerliefst had ze Eugenie een mep verkocht. Alleen, dan zou ze van de YSTA gestuurd worden en ze gunde het Eugenie niet dat zij weg zou gaan. Ze hield haar adem in en telde zacht tot tien.

Stijn keek van de een naar de ander. 'Wat hebben jullie, zeg?

Staan we hier met een geweldige kans om op hoog niveau te trainen en dan maken jullie ruzie om niets! Stom meidengedoe! Ik wil gewoon doorgaan met scoopen, oké? En dat geruzie doe je maar later, als ik er niet bij ben of zo.'

'Ach, je hebt gelijk,' zei Eugenie op mierzoete toon. 'Het is inderdaad een ruzie om... niets of niemand.' Ze keek veelbetekenend naar Julia.

Julia keek zwijgend terug. Beheers je, Julia Smit. Ze blies langzaam lucht uit haar longen, draaide zich om en sleepte een bal mee.

Na de training kwam Philip naar haar toe. Floris was naar Julia's moeder gelopen om kennis te maken. Ook de vader van Sofia en de moeder van Sarah stonden erbij.

Philip zei iets wat haar aan het lachen maakte. 'Hè hè! Gelukkig dat je weer lacht.' Hij deed of hij zweet van zijn voorhoofd wiste. 'Je keek de hele training alsof een pitbull zich vastgebeten had in je billen!'

Julia grijnsde even. 'Dat was geen pitbull, dat was Eugenie. Wat is dat een vals secreet soms, zeg.'

Philip keek naar Eugenie, die verderop haar tas stond in te pakken en met Solange kletste.

'Eugenie... nou ja, Eugenie is gewoon Eugenie. Je moet je van haar niet te veel aantrekken. Ze is echt niet zo'n secreet als jij denkt. Maar ze heeft zo haar eigen problemen.'

Julia keek hem met opgetrokken wenkbrauwen aan en wilde juist vragen wát voor problemen Eugenie dan wel had (behalve dat ze onuitstaanbaar was, maar daar leek Eugenie zelf geen last van te hebben), toen Floris hen allemaal bij elkaar riep.

'Jongens en meiden, goed gespeeld vandaag! Daantje, blijf oefenen om de bal goed mee te kunnen slepen zoals ik je geleerd heb. Sarah, denk aan de conditietraining. Trouwens, we hadden vandaag toeschouwers: de moeder van Julia, de vader van Sofia en de moeder van Sarah. Leuk! Jullie ouders zijn altijd welkom om te komen kijken, dus zeg dat vooral thuis. Nou, dat was het voor vandaag. Ik zie jullie volgende week weer, dan is Jacomijn er ook bij. Kijk zondag anders naar de tv, dan zie je Jacomijn in actie bij de interland tegen Pakistan. Prettig weekend!'

Julia pakte haar sticktas en trok de rits van haar jas dicht. Ze keek nog even om naar Philip, die nu bij Solange en Eugenie stond en lachte om iets wat Solange zei. Tja, ze snapte best dat hij Solange leuk vond. Dat was gewoon een hele leuke meid. Philip had vandaag gekeept. Hij zeulde nu met de enorme tas.

'Kom je mee?' Haar moeder legde een hand op haar schouder.

'Ja, ik kom.' Ze liep mee naar de fietsen.

'Wat leuk om een keer te kijken. En ik zag inderdaad wel dat jullie erg veel talenten hebben... Floris zei dat je erg goed was. En dat je samen met die Eugenie een sterk team vormt eigenlijk.'

'Echt? Met Eugenie? Brrr! Ik moet er niet aan denken, met haar samen in een team!' Julia stak haar tong uit.

'Nou ja, hij zei dat jullie elkaar goed aanvullen.'

Julia maakte een grommend geluid. Zij en Eugenie? Nooit!

12

'Goed dames, dat was de training. Hij ging lekker. Als jullie zaterdag ook zo spelen tegen Waerdenburgh, komt het vast goed. Aanstaande zaterdag is de return. Als we die winnen, staan we denk ik bovenaan. We staan nu al op de derde plaats, dus het gaat goed!' Simon keek de spelers aan.

Eva grijnsde. 'Waerdeloos? Nou, dan moet ik van tevoren eerst even langs de manicure, hoor! En mogen wij met onze gewone autootjes wel hun parkeerterrein bevuilen?'

Iedereen lachte.

'Tja, laten we maar gewoon winnen,' zei Simon, 'dat is het beste antwoord op hun wij-zijn-beter-dan-jullie-houding.' Hij zette zijn handen in zijn zij en keek de meiden aan. 'En deze keer geen vechtpartijen, alsjeblieft! Negeer wat ze zeggen, gewoon spelen en dan komt het goed.'

'Coach…' zei Emma grinnikend. 'Moeten we alles negeren?'

'Ja, dat lijkt me een goed plan.' Hij knikte.

'Dus ook wat de spelleiders zeggen. Nou, lekker makkelijk,' lachte Emma. 'Kunnen we continu overtredingen maken!'

Spelleiding
Bij een achttal heb je nog geen scheidsrechters. Daar heb je alleen spelleiders, omdat je in een achttal vooral nog veel moet leren. Bij achttallen is het speelveld (een half veld) zo groot, dat er vaak met twee spelleiders gewerkt wordt. Een spelleider moet er, naast het toepassen van de regels, ook voor zorgen dat de teams lekker samen spelen.

'Nee, zo bedoel ik het nou ook weer niet!' zuchtte Simon en hij schudde zijn hoofd. 'Nou, hup. Het is nu woensdag; denk er de komende dagen aan dat je op tijd naar bed gaat. Zorg dat je zaterdag helemaal uitgerust bent. Op tijd hier zijn, want we vertrekken om twaalf uur naar Waerdenburgh. Pip, fruitbeurt en Daisy en Sofia, volgens mij moeten jullie ouders rijden. Alle andere ouders zijn natuurlijk welkom om te komen kijken!'

'Komt jouw moeder ook?' vroeg Florine terwijl ze met Julia naar de fietsen liep.

Julia keek op en knikte. Ze draaide zich weer om zodat ze haar fiets van het slot kon halen.

'Juul, het spijt me echt. En ik mis onze vriendschap.' Florines stem klonk zacht en smekend.

Julia bleef met haar handen op het slot staan en slikte.

'Ik wou dat ik het nooit gedaan had... Echt Julia, je moet me geloven...'

Julia draaide zich om en keek naar Florine. Die zag bleek. Julia zweeg nog steeds. Ja, ze miste de vriendschap ook. Maar zou haar vriendschap met Florine ooit nog hetzelfde kunnen worden?

'Ik verdien een tweede kans,' zei Florine nu.

'Waarom?'

'Omdat jij ook een tweede kans hebt gekregen. Bij de YSTA. Daar ben jij toch ook blij mee?' Florine wrong haar handen ineen.

Julia haalde haar schouders op. 'Ja. Daar ben ik heel blij mee.'

'Nou dan. Geef mij ook een tweede kans.'

Het bleef een poos stil tussen de vriendinnen. Julia en Florine keken elkaar aan.

'Oké. Maar als je me nog eenmaal zoiets flikt...!' Julia keek Florine aan en zwaaide met haar vinger. 'Dan is het echt over.'

'Dat snap ik. En trouwens, je hebt mij ook gewoon nodig hoor.' Florine grijnsde opgelucht.

'O ja?'

'Ja! Met wie kun je anders roddelen over Eugenie? En die Philip?'

Julia lachte nu. 'Oké, dat is waar.'

Florine haakte haar arm door die van Julia. 'Hè, ik ben zo blij dat het weer goed is tussen ons!'

Julia kneep even in haar hand en voelde de opluchting door haar lichaam stromen. 'Ja,' grijnsde ze, 'nu nog winnen van Waerdeloos en dan komt alles weer goed! Ik denk trouwens niet dat mijn moeder komt kijken, ze zal wel kantinedienst hebben.'

'Ze werkt wel heel hard, jouw moeder. Twee banen! Poeh, best zwaar. En wel super hoor, dat ze in de kantine werkt hier. Jouw moeder is altijd zo lief en vrolijk!'

'Tja.' Julia haalde haar schouders op. Ze stond er eigenlijk nooit bij stil hoe haar vriendinnen haar moeder vonden. Stom eigenlijk, dacht ze. Want wat vreemden van haar moeder dachten, vond ze blijkbaar wel belangrijk. 'Hoe... hoe vind jij eigenlijk dat mijn moeder eruitziet?' vroeg Julia, terwijl ze het pad op fietsten.

'Huh? Rare vraag. Eh... gewoon. Zoals een moeder.' Florine rimpelde haar neus en haalde haar schouders op. 'Gewoon dus.'

'Je ziet niets aan haar? Iets wat je opvalt of zo?'

Florine dacht na. Wat een vreemde vraag, dacht ze en ze keek haar vriendin onderzoekend aan. 'Nee. Niet dat ik weet. Moet ik iets zien dan?'

'Nou... je vindt haar niet ordinair of zo? Met dat uitgegroeide haar...?'

Florine fronste even. 'Ja, je moeder heeft wel uitgegroeid haar. Maar daar let ik niet op. En ik weet niet wat je bedoelt met ordinair. Dit gaat toch niet om die meiden van Waerdeloos, hè? Daar trek jij je toch niets van aan? Kom op, Juul. Dat zou echt belachelijk zijn. Jij hebt zo'n lieve moeder, wat maakt het nou uit dat jullie niet van die dure merken dragen of dat je niet iedere week naar de kapper kunt? Trouwens, jij had een paar maanden geleden nog paars haar en daar schaamde je je ook niet voor, geloof ik!'

Julia grijnsde. 'Dat is er gelukkig weer helemaal uit... dat doe ik dus nooit meer! Kun je je voorstellen hoe die meiden van Waerdenburgh dan zouden reageren?'

'Ja, een beetje. Jammer eigenlijk dat het er al uit is. Ze zouden helemaal geschokt zijn.' Florine lachte en legde theatraal haar hand tegen haar voorhoofd. 'O, Eugenie! Wat af-schu-we-lijk zeg, heb je dat meisje gezien met dat af-grij-se-lijke kapsel? Wat een hillbillies! Wat is dat voor toestand hier? Is dit achtergebleven gebied of zo? Moet hier noodhulp heen? Moeten we een benefietavond organiseren?' Ze praatte met een raar accent en Julia schoot in de lach. Gelukkig! Alles was weer als vanouds.

Jacomijn Belting pakte haar stick vast en sloeg de bal in het doel.

'Wauw, ik zou wel willen dat ik zo hard kon – nou, mocht eigenlijk – slaan!' Julia keek haar bewonderend aan.

'Ja, in achttallen mag dat nog niet, maar dat komt vanzelf, hoor. Toen ik in een achttal zat, wilde ik ook altijd meer dan mocht.'

'Hoe ben jij eigenlijk zo goed geworden?' vroeg Solange.

'Door keihard te trainen. En toen ik in een elftal zat, zei mijn coach dat ik eens mee moest doen aan de selectiedagen van de KNHB. Daarna werd ik geselecteerd voor Jong Oranje en later dus voor Oranje. Maar het begon met gewoon driemaal per week trainen. En ik was ook altijd op straat aan het hockeyen. Volgens mij zette ik mijn stick alleen weg als ik ging douchen...'

'Kunnen wij ook meedoen aan de selectiedagen?' vroeg Sarah.

'Dat is juist de bedoeling volgend jaar! Dan hebben jullie allemaal al een basis van één jaar bij de YSTA, gaan jullie natuurlijk allemaal naar de selectiedagen en worden jullie zeker geselecteerd. Maar dat is pas volgend jaar. Voor nu beginnen we met drie rondjes veld. Kom op, luilakken,' lachte Jacomijn. 'Rennen!'

Solange kwam naast Julia lopen. 'Jee, selectiedagen. Lijkt me wel eng, jou niet?'

Julia haalde haar schouders op. 'Nou, niet echt. Gewoon je best doen, dan moet zoiets toch lukken? En jij bent supergoed, dus als ik jou was, zou ik me daar niet druk om maken.'

'Lijkt me wel helemaal geweldig, als we geselecteerd zouden worden en uiteindelijk bij Oranje terecht zouden komen en op de Olympische Spelen mogen uitkomen.' Solange lachte. 'Dan gaan we samen op een kamer op de Olympische campus, oké?'

Julia begon te lachen. 'Deal!'

'Solange, ben je weer bezig met je sociale project, aardig zijn tegen DSM'tjes?' hoorde Julia achter zich.

Solange hield even in en keek om. 'Hé, Eugenie. Wat bedoel je?'

'Laat maar.' Eugenie kwam naast Solange en duwde Julia vrijwel weg.

Julia had geen andere keus dan achter haar te gaan lopen.

'Hé, morgen moeten we tegen jullie,' zei Solange en ze keek onder het rennen schuin naar achteren, naar Julia.

'Kunnen jullie eindelijk zien hoe een echte hockeyclub eruitziet. En een echte kantine. Met leuke, verzorgd uitziende medewerkers.' Eugenie draaide zich om naar Julia. 'Een heel gezellig en leerzaam dagje uit voor jullie.'

'Eugenie...' zei Solange zuchtend.

Julia schudde haar hoofd. 'Wat is jouw probleem nou de hele tijd? Je bent zo'n ontzettende bitch! Maar kijk jij maar uit, Eugenie, want ik veeg morgen het veld met je aan.' En met die

woorden zette Julia een sprint in en rende Eugenie voorbij.
'Dat zou je willen!' riep Eugenie nog.

Na de training liep Julia snel naar haar fiets. Ze had geen zin om Eugenie weer tegen te komen. Tijdens de training had ze zich de rest van de tijd gericht op de bal en Eugenie had ze zo goed als dat ging genegeerd. Morgen zou ze haar wel eens een lesje leren, dacht ze. Door keihard te winnen.

'Ho ho! Heb je haast?' Philip slenterde op haar af. Hij stak even zijn hand op naar Wouter en Stijn.

'Ja, ik wil háár,' ze wees naar Eugenie, 'even niet meer zien. Wat een afgrijselijke draak is dat!'

Philip keek even naar Eugenie, die nog met Jacomijn stond te kletsen. 'Ach, je moet Eugenie met een korreltje zout nemen, die heeft het echt zwaar, hoor. Daarom doet ze zo.'

Julia keek hem verbaasd aan. 'Hoezo, die heeft het zwaar? Die maakt het anderen heel moeilijk, bedoel je.'

'Ja, maar zo was ze nooit, hoor. Nou ja, ze was wel een beetje over het paard getild, maar niet zoals ze nu is. Dat komt door haar moeder.'

'Hoe bedoel je?'

Philip zette zijn stick op de grond en keek Julia aan. 'Als je belooft dat je het tegen niemand zegt? Want Eugenie wil geen medelijden.'

Julia knikte. 'Vertel,' zei ze.

13

Het clubhuis van HC Waerdenburgh lag verscholen in het bos, tussen de weilanden. Julia staarde uit het raam van de auto naar de weiden met paarden en schapen. Toegegeven, het was hier wel erg mooi. Ze waren onderweg ook langs de mooiste huizen gereden, het ene nog groter dan het andere.

'Nou, hier woont geld.' De vader van Daisy, die reed, floot tussen zijn tanden.

'Héél veel geld!' zei Daisy en ze wees op een huis met een immense oprijlaan.

'Oud én nieuw geld,' vervolgde Daisy's vader.

'Wat bedoel je daar nou weer mee?' Daisy keek haar vader aan. 'Dat ze oude briefjes hebben of zo? Oude munten?'

'Ha ha! Nee, oud geld wil zeggen dat het geërfd is. Dat het in de familie zit. Nieuw geld, betekent dat diegene zijn fortuin zelf heeft verdiend, met zakendoen bijvoorbeeld.'

Julia staarde uit het raam en dacht aan het gesprek met Philip gisteravond.

'Echt je mond houden, oké?' had Philip gezegd.

'Jahaaa, dat heb ik al gezegd.' Julia had hem ongeduldig aangekeken.

'Oké, Eugenie komt uit een heel rijk gezin. Ze heeft geen zusjes of broertjes, dus ze is best wel eenzaam thuis...'

'Nou? En?'

'Haar vader is al wat ouder dan haar moeder. En haar moeder...' Philip keek even Eugenies kant uit, 'die is heel ernstig ziek. Ik bedoel echt superernstig. Ik geloof dat ze niet heel lang meer te leven heeft.'

Julia keek verschrikt op. 'O! Wat erg.'

'Ja, voor Eugenie is het allemaal heel zwaar. Haar vader is niet meer de jongste en nu zal haar moeder binnenkort sterven. En Eugenie en haar moeder zijn echt heel hecht. Haar moeder kwam altijd naar iedere wedstrijd, maar de laatste weken niet meer. Sinds bekend is dat de ziekte ongeneeslijk is en dat haar moeder zal sterven, is Eugenie echt heel naar gaan doen tegen iedereen. Ze kan het thuis natuurlijk ook met niemand delen. Dus reageert ze alles maar af op iedereen. En jij bent een makkelijke prooi voor haar, omdat je niet in haar team of klas zit en het daardoor makkelijker is jou tegen zich in het harnas te jagen.'

'Jee, dat is echt heel erg voor haar. Maar ik vind het nog steeds geen excuus om zo stom te doen, hoor.'

'Dat ben ik met je eens. Iedereen wel denk ik. Maar het is op dit moment moeilijk om heel boos op Eugenie te worden of om haar uit het team te zetten. Hockey is haar enige afleiding, verder zorgt ze veel voor haar moeder thuis.'

Julia beet op haar lip en slikte even. Ze keek naar Eugenie, die net bij Jacomijn wegliep. 'Ik ga,' zei ze, 'bedankt dat je het verteld hebt. Ik... ik zal mijn mond houden.' Zonder nog om te kijken was ze weggefietst.

'Dames, we zijn er! HC Waerdenburgh.' De stem van Daisy's vader haalde Julia uit haar gepieker.

Ze stonden voor het clubhuis. In roestige letters stond boven het clubhuis:

HC Waerdenburgh, sinds 1908

'Is dit het?' vroeg Pip vol ongeloof.

Ze staarden allemaal naar het aftandse, kale gebouw. Verf bladderde van de muren, alles zag er oud en vervallen uit.

'Dat kan toch niet?'

'Oud geld...' grijnsde Daisy. 'Ouwe zooi zul je bedoelen! HC Waerdenburgh, sinds 1908... Nou, sinds 1908 is er niets meer aan gedaan, denk ik. Ha ha!'

Op dat moment kwam Eugenie voorbijlopen, met haar ouders.

Haar moeder, zag Julia, zat in een rolstoel en droeg een hoofddoek om haar hoofd. Ze had een deken over haar benen en een zonnebril op. Eugenies vader duwde de rolstoel voorzichtig over de parkeerplaats.

Eugenie keek op en zag Julia. Ze werd rood en knikte kort naar Julia. Julia knikte terug en zag hoe Eugenie een hand op haar moeders schouder legde en doorliep.

'Ik moet nog even plassen, gaan jullie maar!' zei Julia en ze liep naar het toilet.

Ze stond net haar rokje omhoog te trekken toen ze gestommel hoorde.

'Oké, beetje naar links...' hoorde ze een bekende stem zeggen. 'Goed, we zijn er, mama! Gaat het?'

'Ja hoor, meisje.' De stem van Eugenies moeder klonk zacht en breekbaar. 'Even een slokje water met mijn pillen en dan gaan we het veld op.'

Julia hoorde dat er een kraan werd opengedraaid.

'Hier, mama. Is dat genoeg?'

'Ja hoor. Nou, ben je er klaar voor, schat?'

'Ja, helemaal. Ik vind het zo fijn dat jij er weer... nog een keer bij bent...' Eugenie slikte hoorbaar.

'Ja hè. Nu kan het nog een keertje. Ik zou het zo leuk vinden om mijn meisje nog éénmaal te zien winnen... Dat zou ik zo fijn vinden.'

'Ik ga mijn best doen, oké mama? Speciaal voor jou. Kom, zet je voet recht op de steun. En pas op met je handen bij de deurpost, anders haal je ze open.'

Julia hoorde gepiep van banden die gekeerd werden, een deur die openging en Eugenie die steeds op zachte en zorgzame toon tegen haar moeder sprak, totdat de deur dichtviel en het weer stil werd. Julia keek naar de vloer en slikte. Haar keel voelde branderig aan. En net als gisteravond, toen Philip haar verteld had wat er met Eugenie aan de hand was, werd ze overvallen door een verdrietig gevoel. Ze wist precies hoe Eugenie zich in de toekomst zou gaan voelen. Net zoals zij zich gevoeld had, zonder pap...

Ze kwamen het veld op en Julia zag Philip met wat andere jongens langs de zijlijn staan.

Hij had zijn eigen tenue aan en zwaaide naar haar. 'Hé! Ik

dacht, ik kom even kijken. Jullie spelen natuurlijk alle vier nu en aangezien we de eer van de YSTA hoog moeten houden...'

'Hm,' zei Julia plagerig, 'maar voor wie ben je dan? Voor Eugenie en Solange, of voor mij en Sofia?'

'Moeilijk...' Philip keek naar zijn vrienden.

'Ha ha! Zo moeilijk is dat niet, Flip,' zei een van de jongens. 'Je bent natuurlijk voor Solange. En voor je eigen club.'

Julia probeerde haar teleurstelling niet te tonen. Natuurlijk, hij was voor Solange. Zie je wel, iedereen wist dat hij en Solange elkaar leuk vonden en ze voelde zich opeens belachelijk, zoals ze daar met hem stond te kletsen. Ze draaide zich om. 'Jammer,' zei ze nog, 'want ik ga namelijk winnen!'

Haar team stond al in de dug-out verderop aan het veld. Ze passeerde wat meisjes van Waerdenburgh.

'Hé, dat de beste maar wint!' Solange sloeg haar vriendschappelijk op haar schouder.

Julia glimlachte. 'Ja, dat zullen we doen, ha ha!'

'Wisselen op de middenlijn!' riep de coach van HC Waerdenburgh en ze gebaarde naar een van de meisjes.

'Wisselen ze nou alweer?' Florine wiste wat zweet van haar voorhoofd en nam even haar bitje uit. Ze was toe aan een nieuw bitje, bedacht ze, dit begon pijn te doen.

Coach Simon gebaarde naar Sofia, die in het doel stond, dat ze breder moest staan. Julia zuchtte en keek rond.

Er stonden veel ouders van de speelsters van Waerdenburgh. En ook veel vriendinnetjes en vriendjes, zag ze.

'Kom op, meisjes! Sla die meiden eruit,' riep een van de vaders en de anderen lachten. Het stond 0-1, Waerdenburgh was aan het winnen.

Het spel werd hervat. Julia nam de bal aan en sloeg hem met haar backhand naar Pleun, die midvoor was. Pleun keek rond wie er vrij stond, maar werd opzij geduwd door een tegenspeelster en verloor de bal.

Florine greep haar stick verbeten vast en hield Bellemijn op afstand. Ze draaide haar stick en lichaam zo dat de andere speelster weinig kans had om de bal te pakken, en sloeg hem toen door naar Jasmijn.

Jasmijn haalde hard uit en de bal glipte tussen de klompen van de keepster, zo het doel in.

'Yeah!' De meiden van Sterrenhout renden op elkaar af en omhelsden Jasmijn even. 'Top, Jasmijn!'

Op dat moment werd er gefloten voor de rust en ze liepen naar de zijkant toe, waar Simon stond.

'Wat een stomme ouders hebben die meiden, zeg. Hoorde je wat ze allemaal schreeuwden? Lekker ordinair,' zei Sanne en ze keek naar de betreffende ouders.

Florines vader keek met een frons naar de overkant, waar de speelsters van Waerdenburgh met hun ouders stonden. Harriët stond naast hem. Het was voor het eerst dat ze weer bij een hockeyveld stond. Wel droeg ze nog een zonnebril omdat het felle licht pijn deed aan haar ogen. Florine had het erg fijn gevonden dat Harriët mee kwam kijken. 'Ja, weinig chic inderdaad. Simon, misschien moet je gaan klagen bij de spelleiding, want het kan toch niet zo zijn dat toeschouwers zó tekeergaan?'

Simon haalde zijn schouders op. 'We zullen het aankijken. Meiden, jullie doen het super. Probeer dat vast te houden en negeer zo veel mogelijk wat de toeschouwers zeggen.'

Julia nam een slok water uit haar fles. Ze konden winnen, dat voelde ze. Als ze nog één keer een goede actie had, kon ze scoren en dan konden ze winnen. Waerdenburgh was niet veel sterker dan zij waren. Bovendien kende ze nu de zwakke plekken van Eugenie en Solange wat beter. Dus ze zouden kunnen winnen.

Waarom voelde dat dan toch niet fijn?

Ze strekte zich uit en keek even naar Eugenies moeder. Die zat in haar rolstoel bij de dug-out van de speelsters van Waerdenburgh. Ze zag hoe Eugenies vader zich over haar heen boog en de deken rechttrok.

'Simon, ik weet dat ik zou keepen...' zei Pleun, 'maar ik voel me niet zo fit. Mag ik er even uit blijven? Griepje op komst of zo...' Ze zag inderdaad grauw.

'O, eh... ja, maar wie...' Simon keek rond.

Julia keek hem aan. 'Ik wil wel keepen.'

'Jij? Jij houdt helemaal niet van keepen. En bovendien ben je in het veld wel handig nu.'

Julia stond op en begon de bodyprotector aan te trekken. 'Maar iemand zal het toch moeten doen, coach,' zei ze vastberaden.

'Ja ja, dat wel...' Hij zuchtte. 'Nou, vooruit dan maar. Sanne en Florine, helpen jullie Julia even in het pak?'

Florine, die nog bij haar vader stond, keek verbaasd op. 'Wat doet Juul nou? Keepen? Dat vindt ze niks!'

'Tja.' Haar vader keek misprijzend naar Julia. 'Ze zal wel even geen zin meer hebben om te rennen. Typisch Julia. Alleen aan zichzelf denken...'

'Papa!' Florine keek hem boos aan en draaide zich toen om.

Het fluitsignaal werd gegeven en de spelers moesten het veld weer op.

'Nou dames, ga voor de winst!' Florines vader sloeg even een paar meiden zacht op hun schouders.

Florine rende naast Daisy het veld weer op. Het spel werd hervat. Na dertig minuten spelen stond het nog steeds 1-1.

'Kom op,' zei Florine. 'We moeten winnen! Dan staan we bovenaan.'

Sanne kreeg de bal van Pip. Ze nam hem aan en keek snel rond. Ze kon zo langs de verdediging van Waerdenburgh. En het zou niet moeilijk zijn om te scoren.

Eugenie rende op haar af en probeerde de bal weg te spelen.

'Kom op, schat!' hoorde Julia de vrouw in de rolstoel roepen.

Eugenie beet op haar lip en sleepte met haar stick naar de bal, in een poging hem te krijgen.

Het lukte haar om de bal van Sanne af te pakken en ze nam hem mee, het veld over, in de richting van het doel van Sterrenhout.

Julia keek snel van Eugenies moeder naar Eugenie, die verbeten de bal voor zich uit duwde. Ze wist precies hoe Eugenie zou gaan slaan. Links in de hoek, dat was haar specialiteit. Dat deed ze bij de YSTA-trainingen ook steeds.

Eugenie rende door met de bal. Ze stopte in het doelgebied en haalde haar stick naar achteren.

Links in de hoek, dacht Julia. En ze ging rechts in de hoek staan.

De bal ging keihard het doel in. Links in de hoek.

Eugenie leek zelf eerst verbaasd en keek één seconde lang naar Julia. Daarna werd ze overrompeld door haar teamgenoten.

'Yes! Eug, super! Top!'

'Eugenie! Echt mega, joh!'

Julia keek naar de kant. Eugenies moeder juichte door haar armen in de lucht te steken. Ze zag hoe Eugenie probeerde oogcontact te maken met haar moeder. Die stak nu haar duim in de lucht.

'Julia! Hoe stom kon je zijn? Die bal had je moeten hebben!' Sofia keek haar kwaad aan. 'Nou winnen zij nog ook, door jouw stomme fout.'

'Juul! Wat deed je nou? Waarom koos je nu een hoek uit, je moet je breed maken,' riep Simon wanhopig.

Julia knikte braaf en haalde haar schouders op. 'Sorry! Hij schoot er gewoon langs.'

'Stom hoor, Juul. Wat leren ze je eigenlijk bij de YSTA? Hoe je ballen door moet laten?' Sanne blies haar wangen bol.

Julia haalde diep adem en draaide zich om. Ze liet alle vijandige opmerkingen langs zich afglijden, alhoewel dat niet makkelijk was.

Na vijf minuten klonk het eindsignaal. Waerdenburgh had gewonnen.

14

In de kantine stonden kannen met ranja klaar naast een stapel bekers.

Simon gebaarde dat de meiden moesten gaan zitten. 'Dit verlies was onverdiend,' zei hij en hij haalde een hand door zijn haren. 'Jullie waren echt beter en jullie speelden zo goed. Hoe kon je die bal nou doorlaten, Julia? Zo'n bal zou jij normaal gesproken nooit het doel in laten gaan!'

Julia keek de kring rond. Ze kon het moeilijk uit gaan leggen. 'Sorry. Ik ben... te laat naar bed gegaan gisteren.' Ze geeuwde demonstratief. 'Vandaar dat ik niet zo geconcentreerd was. Ik beloof beterschap voor volgende week.'

Er werd nog wat gemompeld.

Simon knikte. 'Oké, zand erover. Jammer, ik had wel van Waerdenburgh willen winnen, maar dan pakken we de volgende keer wel weer de winst.'

Florine pakte haar spullen bij elkaar. 'Rij je met ons mee?' vroeg ze aan Julia.

'Ja, gezellig! Even tegen de vader van Daisy zeggen dat ik met jullie meega.' Julia liep weg op zoek naar Daisy's vader.

Opeens greep een hand haar bovenarm vast. Ze draaide zich om en keek recht in Eugenies gezicht.

Eugenie beet op haar lip en haar ogen schoten even heen en weer. Daarna keek ze Julia recht aan. 'Dankjewel,' zei ze zacht. 'Die bal. Je liet hem door. Jij weet aan welke kant ik meestal scoor. En... Philip zei gisteravond tegen me dat hij je verteld had van mijn moeder. Ik denk dat je me hebt laten winnen. En dat waardeer ik heel erg. Ik denk dat dit...' Er verschenen tranen in Eugenies ogen, '...de laatste keer is dat mama erbij was. Het gaat heel slecht met haar. Ze is speciaal voor deze wedstrijd nog haar bed uit gekomen.' Er drupte een traan langs haar wang.

Julia knikte. 'Dat is rot. Mijn vader... Mijn vader is bijna twee jaar geleden overleden. Ik mis hem nog iedere dag. Ik weet hoe erg dit voor je moet zijn. En wat die bal betreft: je hebt zelf gescoord.'

Eugenie lachte even. 'Ja ja. Ik ken je inmiddels lang genoeg van de YSTA om te weten dat jij nooit zo'n bal zou doorlaten! Zelfs niet door zo'n geweldige speler als ik.' Ze lachte hartelijk. Het was de eerste keer dat Julia Eugenie een grapje hoorde maken en dat Eugenie even oprecht vriendelijk was.

Eugenie keek weer serieus. 'Sorry dat ik zo naar over jouw moeder deed. Ik... ik kan het niet zo goed hebben als ik andere meisjes en hun moeders zie. Omdat ik dan jaloers word.'

'Ik begrijp het...' zei Julia. 'Maar je schiet er niets mee op.'

'Dat weet ik.' Eugenie keek haar aan.

Solange liep naar hen toe. 'Jammer Julia, maar je snapt: ik ben blij!' Ze glimlachte.

'Als je het er maar niet in gaat wrijven, bij de training vrijdagavond.' Julia grijnsde terug.

'Hé, zus! Niet slecht.'

De drie meiden draaiden zich om.

Zus?! dacht Julia.

'Ja, goed hè! Nu moet jij nog winnen vandaag en dan is de familie-eer weer gered!' Solange en Philip lachten alle twee.

Julia keek niet-begrijpend van de een naar de ander. 'Zus?' herhaalde ze.

'Ja. Philip is mijn broer, wist je dat niet?'

'Eh... nee.' Julia grijnsde verontschuldigend. Dat verklaarde een hoop. Hij was helemaal niet verliefd op Solange, ze was gewoon zijn zus!

'Waarom blijf je niet kijken?' Philip keek Julia aan. 'Ik speel over een half uur.'

'Ja, leuk, blijf even.'

Julia schudde haar hoofd. 'Ik zou wel willen hoor, maar ik ga met Florine naar huis. Een andere keer blijf ik graag kijken.' Ze zag dat Philip teleurgesteld was. 'En we kunnen vrijdag na de training wel een ijsje gaan halen...' voegde ze eraan toe.

Philip glimlachte. 'Daar hou ik je aan!'

'Ik ga ook naar huis. Mama is erg moe. Ik ga thuis iets lekkers voor haar bakken. Brownies of zo.' Eugenie haalde diep adem en draaide zich om.

'Prima getraind vanavond, jongens!' Floris keek de groep rond. 'Jullie worden ook steeds meer een team. Mooi. Wouter, goede scoops net! Helemaal zoals je geleerd hebt. En dan heb ik nu nog iets leuks...' Hij rommelde even in zijn zakken en haalde er een paar kaartjes uit. 'Tickets – twee! – voor de interland van Oranje tegen Duitsland dit weekend! Ik mocht ze verloten van Jacomijn. Leuk, hè? Het is voor aanstaande zondag en als je de kaartjes wint, mag je zelf weten wie je meeneemt.'

Iedereen begon enthousiast door elkaar te roepen.

'Ho!' Floris hield lachend zijn handen omhoog. 'Nee, we gaan echt loten. Schrijf allemaal je naam op en doe het papiertje in deze doos hier. Ik haal er blind een naam uit.'

Julia schreef haar naam op en gaf de pen door aan Solange. 'Super! Als je zo'n prijs wint... Trouwens, waarom is Eugenie er vanavond niet?' Julia keek Solange vragend aan.

'Die had een verjaardag,' zei Solange afwezig terwijl ze haar eigen naam opschreef.

'Een verjaardag? Daar mocht je toch niet voor thuisblijven? Zelfs niet als je oma honderd werd!' riep Julia verbaasd uit.

'Haar moeder is vandaag jarig. En omdat het de laatste keer zal zijn dat haar moeder haar verjaardag viert, mocht Eugenie thuisblijven.'

'O. Sorry. Stom van me.' Ze trok een gezicht.

'Nee hoor, dat kon jij toch verder niet weten?'

Floris had inmiddels alle namen door elkaar geschud. Hij pakte een papiertje. 'En de winnaar is... Julia!'

'Joepie,' riep Julia blij uit. 'Super!' Ze pakte de kaartjes van Floris aan. Twee kaartjes voor een geweldige interland! Wie zou ze meenemen? Ze keek even naar Philip, die knipoogde. Solange,

Interlands en Olympische Spelen
Nationale teams spelen vaak interlands, tegen teams uit andere landen. De allereerste interland van Nederland was in 1926 tegen België. Toen speelden alleen nog mannenteams op dat niveau. Inmiddels is dat gelukkig veranderd en speelt zelfs de jeugd interlands. In 1928 werd hockey voor het eerst op de Olympische Spelen gespeeld. Pas in 1976 mochten vrouwenteams ook meedoen aan de Olympische Spelen. Als nationaal team moet je je overigens wel kwalificeren om mee te mogen doen aan de Olympische Spelen, je moet je plekje daar dus verdienen!

die haar op haar schouder sloeg en feliciteerde. Florine, die het o zo leuk zou vinden om naar een interland te gaan. Of misschien wel mam, die zou het ook geweldig vinden! Of Nick. Ze beet op haar lip en keek weer naar Philip.

Jacomijn Belting speelde de bal door naar haar teamgenote. Die speelde hem terug en Jacomijn haalde binnen de cirkel uit en scoorde. Het was 3-2 voor Nederland!

'Yeah!' Julia sprong op uit haar stoel en gilde hard, samen met de andere toeschouwers in het VIP-vak, waar ze zaten. 'O! Dit is zo fantastisch,' zei Julia enthousiast en ze ging weer zitten. Ze stootte haar gast naast zich aan. 'Kijk nou eens! Dat publiek... Zo wil ik later ook spelen,' verzuchtte ze.

'Willen jullie nog iets drinken?' Achter hen stond een meisje met een dienblad. 'Dat hoort ook bij het VIP-arrangement, hoor!'

'Lekker. Cola graag, en jij?' Julia pakte een cola aan.

'Eh... een jus d'orange graag,' zei Eugenie.

'Gaaf, hè? O, opletten, misschien scoren ze weer!'

'Ja, echt super,' zei Eugenie blij. 'Ik vind het zo lief van je dat je mij mee hebt gevraagd... Ik bedoel, zo aardig was ik helemaal niet tegen jou... en je moeder.'

'Nee, dat klopt,' zei Julia monter. 'Je was een behoorlijk kreng. Maar goed, ik begrijp het nu wel. Hoe gaat het vandaag met je moeder?'

Eugenie probeerde te glimlachen. 'Niet zo goed. Het zal niet lang meer duren. Een paar weken.' Haar stem bibberde en ze knipperde tranen weg.

Julia legde een arm om haar schouder. 'Daarom wilde ik jou meenemen. Kun je even op adem komen van alles wat er thuis gebeurt. En je weet, na... wanneer je moeder er niet meer is, ben je altijd welkom. Ik weet hoe het voelt.'

De beide meisjes zwegen even.

'Hé! Dat was een overtreding,' riep Eugenie en ze wees naar het veld.

'Shoot!' zei Julia.

De speelster van Nederland liep boos op een Duitse speelster af en de twee kregen woorden op het veld.

'Zouden wij nóóit doen.' Julia haalde haar neus op. 'Veel te ordinair, zo'n ruzie op het veld. Wie doet dat nou? Alleen een stelletje hillbillies.' Ze keek Eugenie aan en samen barstten ze in lachen uit.